UMSCHLAGBILD:
ZUCCHINI-MINZE-PASTA, SEITE 112

Die Originalausgabe dieses Buches ist unter dem Titel »No time to cook« 2008
bei HarperCollins Publishers, Sydney, Australien, erschienen.

Styling: Donna Hay
Grafik und Design: Clare Stephens
Textbearbeitung: Kirsty McKenzie
Testküche: Ali Irvine und Hannah Dodds
Beratung Grafik: Sarah Kavanagh
Beratung Lektorat: Steve deVille

Diese Ausgabe ist eine von HarperCollins Publishers, Sydney, Australien,
genehmigte Lizenzausgabe.

Aus dem Englischen übersetzt von Kirsten Sonntag.

6. Auflage, 2011

AT Verlag, Baden und München
Druck und Bindearbeiten: Andersen Nexö, Leipzig
Printed in Germany

ISBN 978-3-03800-460-8

www.at-verlag.ch

donna hay

Keine Zeit zum Kochen

Frische und leichte Rezepte
für Vielbeschäftigte

Fotografiert von Con Poulos

AT Verlag

INHALT

Die mit einem Stern vesehenen Zutaten
sind im Glossar, Seite 189ff. näher erklärt.

Als ich mich erstmals mit dem Gedanken befasste, eine Familie zu gründen, war ich überzeugt davon, dass sich mein Leben dadurch kaum verändern würde. Prophezeiungen, dass ich morgens das Haus übermüdet verlassen und abends nicht einmal mehr in der Lage sein würde, ein Buch zu lesen, geschweige denn ein Abendessen zuzubereiten, tat ich als maßlose Übertreibung ab. Rückblickend muss ich gestehen, dass ich unverbesserlich optimistisch war – und Eltern wahre Helden sind.

Meine Arbeit ist wie die vieler anderer heutzutage hektischer geworden, und seitdem mein Mann und ich zwei kleine Jungs haben, die ebenfalls Aufmerksamkeit fordern, ist es schwieriger denn je, Zeit für Familie und Freunde zu finden. Einer der Grundpfeiler unseres Familienlebens sind die gemeinsamen Mahlzeiten. Außerdem versuchen wir, wenigstens einen Teil der Wochenenden für Einladungen und Zeit mit Freunden zu reservieren.

Kaum noch Zeit zum Kochen und noch weniger, um die Küche wieder in Ordnung zu bringen – damit war die Idee zu diesem Buch geboren. Die Rezepte entstanden also ebenso für uns selbst wie für Sie. Unter dem Aspekt der Zeitersparnis habe ich mir meine bewährten Lieblingsrezepte vorgenommen und sie optimiert, neue Entdeckungen gemacht und Gerichte entwickelt, die sich perfekt vorbereiten und einfrieren lassen.

Ich hoffe, dass Sie dieses Kochbuch immer wieder gerne zur Hand nehmen und damit sehr viel Zeit gewinnen werden!

DINNER NACH MASS

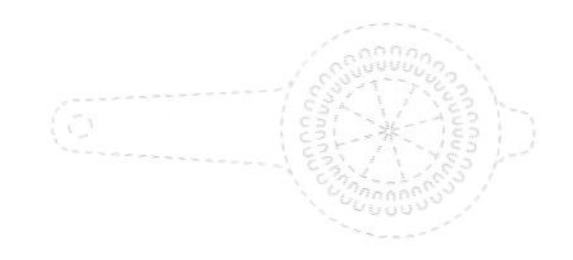

Manchmal ist das Leben einfach zu kurz, um zu kochen. Statt langem Schälen und Schnipseln gehen Sie rasch im Feinkostladen und beim Gemüsehändler vorbei. Aus frischen, leckeren Zutaten lässt sich in wenigen Minuten eine köstliche Mahlzeit zubereiten, gegen die eine Pizza aus dem Pappkarton wirklich keine Chance hat.

THUNFISCH-HUMMUS-BRUSCHETTA

COUSCOUS-GEMÜSE-ANTIPASTO

Thunfisch-Hummus-Bruschetta

4 Scheiben Brot
Olivenöl zum Bestreichen
1 Knoblauchzehe, halbiert
200 g Hummus*, fertig gekauft (siehe auch Rezept Seite 162)
40 g zarter junger Blattspinat oder Rucola
2 Tomaten, in Scheiben geschnitten
einige Zweige frische Minze
ca. 400 g Thunfisch aus der Dose, abgetropft
2 EL Kapern, abgespült und abgetropft
Meersalz und schwarzer Pfeffer aus der Mühle
1 Zitrone, halbiert

Das Brot im Toaster oder unter dem Backofengrill goldbraun rösten, mit Olivenöl bestreichen und mit Knoblauch einreiben. Die Hummuspaste daraufstreichen, darauf Spinat oder Rucola, Tomaten, Minze, Thunfisch und Kapern verteilen. Mit Salz und Pfeffer würzen und vor dem Servieren mit einigen Spritzern Zitronensaft beträufeln. ERGIBT 2 PORTIONEN.

Servierfertig gekaufte Dips und Saucen ergeben einen leckeren Aufstrich für Sandwiches und Wraps (gerollte gefüllte Teigfladen). Probieren Sie unterschiedliche Produkte aus und erstellen Sie Ihre persönliche Hitliste. Zu meinen Favoriten zählen Hummus, Tsatsiki und Auberginenpaste (Baba Ghanoush).

Couscous-Gemüse-Antipasto

180 g Instant-Couscous*
300 ml kochendes Wasser
Meersalz und schwarzer Pfeffer aus der Mühle
30 g Butter in Flocken
50 g Parmesan, gerieben
250 g gemischtes mariniertes Antipasto-Gemüse, abgetropft
einige Basilikumblätter, grob zerkleinert
130 g Feta, in mundgerechten Stücken

Das Couscous in einer Schüssel mit dem kochenden Wasser übergießen und mit Frischhaltefolie abgedeckt 5 Minuten ziehen lassen, bis das Couscous das Wasser aufgesogen hat. Dann die Folie entfernen, Salz, Pfeffer und Butter darunterrühren. Anschließend Parmesan, Gemüse, Basilikumblätter und Feta vorsichtig darunterheben. ERGIBT 2 PORTIONEN.

Schneller Thai-Nudel-Salat

100 g Reisnudeln
1 Karotte, in feine Streifen geschnitten
1 Salatgurke, in feine Streifen geschnitten
50 g Zuckerschoten- oder andere Sprossen, gesäubert
je 1 Bund Koriander und Minze, Blätter abgezupft
75 g ungesalzene geröstete Erdnüsse oder Cashewkerne
150 g fester Tofu, gewürfelt
60 ml süße Chilisauce
60 ml Limettensaft
2 EL Fischsauce*

Die Nudeln in einer Schüssel mit kochendem Wasser übergießen und 5 Minuten zugedeckt ziehen lassen, dann abgießen und kalt abschrecken. Die Nudeln mit Karotten- und Gurkenstreifen, Sprossen, Koriander, Minze, Nüssen und Tofu vermischen. Die Chilisauce, den Limettensaft und die Fischsauce verrühren, über den Salat geben und servieren. ERGIBT 2 PORTIONEN.

SCHNELLER THAI-NUDEL-SALAT

Bruschetta mit Räucherlachs

125 g Frischkäse
1 EL gehackter Dill
2 EL Zitronensaft
40 g Cornichons, grob gehackt
Meersalz und schwarzer Pfeffer aus der Mühle
4 Scheiben dunkles Roggenbrot, getoastet
175 g heißgeräuchertes Lachsfilet*, grob zerpflückt

Den Frischkäse mit Dill, Zitronensaft, den gehackten Cornichons, Salz und Pfeffer verrühren und auf die getoasteten Brotscheiben streichen. Darauf den Räucherlachs verteilen. Falls Sie kein heißgeräuchertes Lachsfilet bekommen, ersetzen Sie es durch normalen Räucherlachs. ERGIBT 2 PORTIONEN.

Hühnersalat mit Cashews und Chili

100 g Reisnudeln
½ fertig gekauftes Grillhähnchen, Fleisch ausgelöst und grob zerpflückt
1 Salatgurke, in Streifen geschnitten
1 Tomate, in Spalten geschnitten
50 g ungesalzene geröstete Cashewkerne
je ½ Bund Koriander und Basilikum
Für das Chili-Dressing:
60 ml süße Chilisauce
1½ TL Sojasauce

Die Nudeln in einer Schüssel mit kochendem Wasser übergießen, 5 Minuten ziehen lassen, bis sie gar sind, dann abgießen. Die Nudeln mit dem Hühnerfleisch, den Gurkenstreifen, den Cashewkernen sowie den Koriander- und Basilikumblättchen mischen. Chilisauce und Sojasauce zu einem Dressing verrühren und unter den Salat heben. ERGIBT 2 PORTIONEN.

Schnelles Roastbeef-Sandwich

4 dicke Scheiben Krusten- oder Bauernbrot
Butter zum Bestreichen
70 g Zwiebel- oder anderes Chutney oder Senf
1 Tomate, in Scheiben geschnitten
8 Scheiben fertig gekauftes Roastbeef (blutig)
8 Scheiben Cheddarkäse
Rucola oder Salatblätter zum Garnieren

Die Brotscheiben auf ein Backblech legen und unter dem Backofengrill von einer Seite rösten. Zwei der ungerösteten Brotseiten mit Butter bestreichen und beiseite legen. Die beiden anderen ungerösteten Brotseiten mit Chutney oder Senf bestreichen, mit den Tomatenscheiben, dem Roastbeef und dem Käse belegen und unter dem Backofengrill etwa 2 Minuten überbacken oder bis der Käse geschmolzen ist. Mit Rucola garnieren und mit dem gebutterten Brot servieren.

ERGIBT 2 PORTIONEN.

Tofu mit Ingwer und Soja auf Rohkost

300 g fester Tofu, in dicke Scheiben geschnitten
1 EL fein geriebener Ingwer
80 ml Sojasauce
2 EL brauner Zucker
3 Frühlingszwiebeln, schräg in feine Scheiben geschnitten
2 TL Sesamöl
2 Karotten, geraspelt
2 EL Sesamkörner
100 g Zuckerschoten (Kefen), fein geschnitten

Den Tofu in eine flache Schüssel legen. Ingwer, Sojasauce, Zucker, Frühlingszwiebeln und Sesamöl verrühren, über den Tofu verteilen und 5 Minuten ziehen lassen, dann den Tofu wenden. Die geraspelten Karotten mit den Sesamkörnern und den Zuckerschoten vermischen und auf zwei Teller verteilen. Darauf die Tofuscheiben anrichten und mit der Ingwer-Soja-Marinade als Dressing beträufeln.

ERGIBT 2 PORTIONEN.

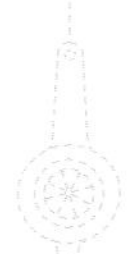

TOMATEN-MOZZARELLA-SALAT MIT TAPENADE-DRESSING

LINSEN-ARTISCHOCKEN-SALAT MIT ZIEGENKÄSE

Tomaten-Mozzarella-Salat mit Tapenade-Dressing

2 reife Tomaten
1 großer Büffel-Mozzarella oder 4 kleine Mozzarellakugeln
2 Scheiben Sauerteig- oder anderes Brot, im Backofen geröstet oder getoastet
schwarzer Pfeffer aus der Mühle
40 g Rucola
einige Basilikumblätter
Für das Tapenade-Dressing:
1 TL fertig gekaufte Tapenade* aus schwarzen Oliven
2 EL Olivenöl
1 TL Balsamicoessig

Die Tomaten und den Mozzarella grob zerkleinern. Die Brotscheiben auf die Teller geben, die Tomatenstücke darauflegen und etwas andrücken. Mit Pfeffer würzen und mit Mozzarella, Rucola und Basilikumblättchen belegen. Für das Dressing die Tapenade mit Öl und Essig verrühren und über die Brote träufeln. ERGIBT 2 PORTIONEN.

Verbreitet ist Mozzarella aus pasteurisierter Kuhmilch, besser jedoch schmeckt Mozzarella aus frischer Büffelmilch. »Bocconcini« kommt von italienisch »bocca«, »Mund« – und genau Mundgröße besitzen die kleinen Mozzarellakugeln, die manchmal auch unter dieser Bezeichnung angeboten werden.

Linsen-Artischocken-Salat mit Ziegenkäse

400 g Linsen aus der Dose, abgespült und abgetropft
1 EL Rotweinessig
1 TL Zucker
1 EL Olivenöl
Meersalz und schwarzer Pfeffer aus der Mühle
2 Bund glattblättrige Petersilie, gezupft
280 g Artischockenherzen aus dem Glas, abgetropft und halbiert
½ fertig gekauftes Grillhähnchen, Fleisch ausgelöst und in dicke Scheiben geschnitten
150 g Ziegenkäse

Die Linsen mit Essig, Zucker, Olivenöl, Salz und Pfeffer in einer Schüssel mischen und 5 Minuten ziehen lassen. Die Petersilie, die halbierten Artischockenherzen und die Hühnerfleischstreifen darunterheben. Mit Ziegenkäse garniert servieren.
ERGIBT 2 PORTIONEN.

Asiatischer Garnelen-Nudel-Salat

150 g getrocknete flache Reisnudeln
12 gekochte Garnelen (Crevetten), geschält, mit Schwanz
2 Frühlingszwiebeln, schräg in feine Scheiben geschnitten
1 große rote Chili, in feine Ringe geschnitten
1 Bund Koriander
50 g Zuckerschoten (Kefen), fein geschnitten
2 EL Sojasauce
1 TL geriebener Ingwer
1 TL Zucker

Die Nudeln in einer Schüssel mit kochendem Wasser übergießen, 10 Minuten ziehen lassen oder so lange, bis sie gar sind, dann abgießen. Die Nudeln mit Garnelen, Frühlingszwiebeln, Chili, Korianderblättchen, Zuckerschoten, Sojasauce, Ingwer und Zucker vermischen. ERGIBT 2 PORTIONEN.

ASIATISCHER GARNELEN-NUDEL-SALAT

Italienischer Brotsalat

3 dicke Scheiben Sauerteig- oder anderes Brot, geröstet, grob zerkleinert
4 reife Tomaten, grob zerkleinert
75 g entsteinte schwarze Oliven
ca. 400 g Thunfisch aus der Dose, abgetropft
1 Bund glattblättrige Petersilie
Für das Dressing:
2 EL Weißweinessig
2 EL Olivenöl
1 kleine Knoblauchzehe, gepresst
schwarzer Pfeffer aus der Mühle

Für das Dressing Essig, Öl, Knoblauch und Pfeffer in einer Schüssel verrühren. Dann die Brotstücke und die zerkleinerten Tomaten zum Dressing geben und vorsichtig umrühren. Zum Schluss die Oliven und die Petersilie darunterheben. ERGIBT 2 PORTIONEN.

Enchiladas mit Räucherlachs und Avocado

4 kleine Weizentortillas
80 g Sauerrahm
8 Scheiben (200 g) Räucherlachs
½ Avocado, geschält, in Scheiben geschnitten
100 g Brunnenkresse
1 Bund glattblättrige Petersilie
½ Salatgurke, in Streifen geschnitten
2 Frühlingszwiebeln, in feine Streifen geschnitten
2 EL Limettensaft
Meersalz und schwarzer Pfeffer aus der Mühle

Die Tortillas im Ofen, in der Mikrowelle oder im Toaster erwärmen. Mit Sauerrahm bestreichen und den Räucherlachs darauflegen. Die Avocadoscheiben, die Brunnenkresse, Petersilie, Gurke, Frühlingszwiebeln und Limettensaft miteinander vermischen, mit Salz und Pfeffer abschmecken. Den Salat über den Lachs verteilen, die Tortillas einrollen und servieren. ERGIBT 2 PORTIONEN.

Hühnersalat mit Zitronenmayonnaise

250 g gegarte geräucherte Hühnerbrust, in Scheiben geschnitten
1 Romanasalat, geputzt, in Blätter zerteilt
1 kleine Salatgurke, schräg in Scheiben geschnitten
40 g Parmesan, gerieben
Für die Zitronenmayonnaise:
100 g Mayonnaise
1 EL Zitronensaft
1 EL gehacktes Basilikum
Meersalz

Für die Zitronenmayonnaise die Mayonnaise, Zitronensaft, Basilikum und etwas Salz in einer Schüssel verrühren. Die Hühnerbruststreifen, die Salatblätter, die Gurkenscheiben und den Parmesan auf Tellern anrichten und die Zitronenmayonnaise darüber verteilen. ERGIBT 2 PORTIONEN.

Schnelles Taboulé mit Huhn

120 g Bulgur*
375 ml kochendes Wasser
½ fertig gekauftes Grillhähnchen, Fleisch ausgelöst
2 Tomaten, gewürfelt
2 Frühlingszwiebeln, fein geschnitten
je 1 Bund glattblättrige Petersilie und Minze, gehackt
2 EL Olivenöl
1 EL Zitronensaft
Meersalz und schwarzer Pfeffer aus der Mühle
fertig gekaufter Hummus*, Fladenbrot
und Zitronenscheiben zum Servieren

Den Bulgur in einer Schüssel mit dem kochenden Wasser übergießen und zugedeckt 20 Minuten ziehen lassen, bis der Bulgur weich ist und das Wasser aufgesogen hat. Hühnerfleisch, Tomaten, Frühlingszwiebeln, Petersilie, Minze, Öl, Zitronensaft, Salz und Pfeffer unter den Bulgur mischen. Mit Hummus, Fladenbrot und Zitronenscheiben servieren.
ERGIBT 2 PORTIONEN.

MOZZARELLA-BRUSCHETTA MIT WEISSE-BOHNEN-PASTE

TOMATENSALAT MIT THUNFISCH UND AVOCADO

Mozzarella-Bruschetta mit Weiße-Bohnen-Paste

400 g weiße Bohnen (Cannellinibohnen) aus der Dose, abgespült und abgetropft
1 Knoblauchzehe, gepresst
2 EL Olivenöl
1 EL Zitronensaft
1 Bund glattblättrige Petersilie, grob gehackt
Meersalz und schwarzer Pfeffer aus der Mühle
4 Scheiben Sauerteig- oder anderes Brot, geröstet
40 g Rucola
2 große Kugeln Büffelmozzarella, jeweils halbiert
8 Scheiben Parmaschinken*
Olivenöl zum Beträufeln
Zitronenspalten zum Servieren

Bohnen, Knoblauch, Öl und Zitronensaft in einer Schüssel mit einer Gabel grob zerquetschen. Petersilie, Salz und Pfeffer darunterrühren und die Paste auf die Brotscheiben streichen. Rucola, Mozzarella und Schinken darauf verteilen. Mit Olivenöl beträufeln und mit Zitronenspalten servieren. ERGIBT 2 PORTIONEN.

Ein gut gefüllter Vorratsschrank ist die beste Absicherung für vielbeschäftigte Menschen. Ein paar Dinge, die darin nicht fehlen dürfen und ihren festen Platz in jeder Turboküche haben, sind: Bohnen, Kichererbsen und Linsen in Dosen, ebenso Thunfisch in der Dose – er verfeinert und bereichert im Handumdrehen viele Gerichte.

Tomatensalat mit Thunfisch und Avocado

1 Avocado, geschält, geviertelt
250 g Thunfisch aus der Dose, abgetropft
2 Tomaten, in dicke Scheiben geschnitten
1 Bund glattblättrige Petersilie
Meersalz und schwarzer Pfeffer aus der Mühle
Olivenöl zum Beträufeln
1 TL geriebener Gewürzsumach*
Zitronenspalten zum Servieren

Die Avocadoviertel, den Thunfisch, die Tomatenscheiben und die Petersilie auf Teller verteilen, salzen, pfeffern und mit Olivenöl beträufeln. Mit Gewürzsumach bestreuen und mit den Zitronenspalten servieren. ERGIBT 2 PORTIONEN.

Gemüsesalat mit Haloumi und Zitronen-Honig-Dressing

150 g Haloumi*
1 Salatgurke, dick geschnitten
2 Stangen Sellerie, dick geschnitten
2 Tomaten, dick geschnitten
10 g Minzeblätter
Für das Zitronen-Honig-Dressing:
2 EL Zitronensaft
1 EL Honig
1 EL Olivenöl
schwarzer Pfeffer aus der Mühle

Den Haloumi mit einem Sparschäler dünn hobeln und zusammen mit Gurke, Sellerie, Tomaten und Minze auf Teller schichten. Für das Dressing Zitronensaft, Honig, Öl und Pfeffer verrühren und über den Salat träufeln. ERGIBT 2 PORTIONEN.

GEMÜSESALAT MIT HALOUMI UND ZITRONEN-HONIG-DRESSING

Thunfisch-Bohnen-Salat

400 g weiße Bohnen (Cannellinibohnen) aus der Dose, abgespült und abgetropft
425 g Thunfisch aus der Dose, abgetropft
1 EL fein gehackte Schale von eingelegten Zitronen*
1 Bund glattblättrige Petersilie
Meersalz und schwarzer Pfeffer aus der Mühle
Zitronensaft und geröstetes Weißbrot zum Servieren

Die Bohnen und den Thunfisch in einer Schüssel vermischen, die gehackte Zitronenschale, Petersilie, Salz und Pfeffer darunterrühren. Den Salat mit Zitronensaft beträufeln und mit Weißbrot servieren. ERGIBT 2 PORTIONEN.

Erbsen-Feta-Salat mit Minze

240 g tiefgekühlte Erbsen
1 Bund Minze
1 EL Zitronensaft
2 EL Olivenöl
schwarzer Pfeffer aus der Mühle
50 g zarter, junger Blattspinat oder Blattsalat
100 g Feta, in 2 Stücke zerteilt
6 Scheiben Parmaschinken*
Fladenbrot zum Servieren

Die Erbsen in einer Schüssel mit kochendem Wasser übergießen und 2 Minuten ziehen lassen, bis sie weich sind. Abgießen und kalt abschrecken. Dann Erbsen, Minzeblätter, Zitronensaft, Öl und Pfeffer verrühren. Den Spinat auf Teller verteilen, die Erbsenmischung, den Feta und den Schinken darauf anrichten. Mit Fladenbrot servieren. ERGIBT 2 PORTIONEN.

Falscher Caesar Salad mit Huhn

2 Romanasalatherzen, halbiert
½ fertig gekauftes Grillhähnchen, Fleisch ausgelöst und in Streifen geschnitten
20 g Parmesan, gehobelt
100 g fertig gekaufte Cracker, Crostini oder Croûtons
4 Scheiben Parmaschinken*
schwarzer Pfeffer aus der Mühle
Für das Caesar-Dressing:
150 g Mayonnaise
1 EL Zitronensaft
1 TL Dijonsenf

Salat, Hühnerfleischstreifen, Parmesan, Cracker und Schinken auf Tellern anrichten. Für das Caesar-Dressing Mayonnaise, Zitronensaft und Senf verrühren und über den Salat verteilen. Mit Pfeffer aus der Mühle bestreuen. ERGIBT 2 PORTIONEN.

Hühnersalat mit Kokosdressing

40 g Blattsalat
1 Karotte, in feine Streifen gehobelt
1 Salatgurke, in feine Streifen gehobelt
½ fertig gekauftes Grillhähnchen, Fleisch ausgelöst und klein geschnitten
je 1 Bund Koriander und Basilikum
70 g geröstete Erdnüsse, grob gehackt
Für das Kokosdressing:
1 große rote Chili, in feine Ringe geschnitten
80 ml Kokoscreme
1 EL Limettensaft
1 TL brauner Zucker
1 TL Fischsauce*

Den Blattsalat, die Karotten- und Gurkenstreifen, das Hühnerfleisch, Koriander- und Basilikumblätter auf Tellern verteilen. Für das Dressing Chili, Kokoscreme, Limettensaft, Zucker und Fischsauce verrühren. Das Dressing über den Salat verteilen und diesen mit den gehackten Erdnüssen bestreuen. ERGIBT 2 PORTIONEN.

TURBO REZEPTE 1

Frühstück und Brunch

Je hektischer die Arbeitswoche, desto mehr sehnen wir das Wochenende mit Zeit für Familie und Freunde herbei. Bei einem gemeinsamen Frühstück oder Brunch lassen sich auf entspannte Art Kontakte pflegen. Das Essen muss gar nicht kompliziert sein. Hier einige beliebte Morgenklassiker, für einen glänzenden Auftritt neu in Szene gesetzt.

Zimtäpfel mit Joghurt und braunem Zucker

RECHTS: 2 Äpfel entkernen, in dicke Scheiben schneiden und in einer beschichteten Pfanne bei mittlerer Temperatur zusammen mit 1 Zimtstange, 25 g Butter, 2 EL Wasser und 2 EL Ahornsirup* erhitzen. Die Apfelscheiben auf jeder Seite 5 Minuten anbräunen. Warm oder kalt servieren. Auf jede Portion einen Klecks mit braunem Zucker bestreuten Naturjoghurt geben.
ERGIBT 2 PORTIONEN.

Krokantmüsli mit Beeren

UNTEN: 90 g Haferflocken, 80 g grob gehackte Mandeln und 75 g Sonnenblumen- oder Kürbiskerne mit 125 ml Ahornsirup* mischen, auf ein mit Backpapier belegtes Blech geben und im vorgeheizten Ofen bei 180 Grad 12–15 Minuten goldbraun und knusprig backen. Himbeeren, Erdbeeren oder eine Beerenmischung in Gläser verteilen, einen großzügigen Klecks Naturjoghurt daraufgeben und das Krokant darüber verteilen. **ERGIBT 6 PORTIONEN.**

Klassische Verbindungen von Obst und Joghurt in einer modernen Interpretation – so begeistert das traditionelle Frühstück wieder von neuem. Beeren und Cerealien ergänzen einander perfekt.

Birchermüsli

OBEN: 90 g Haferflocken mit 180 ml Apfelsaft mischen, 5 Minuten ziehen lassen. Dann 1 geriebenen Apfel, 1 Prise Zimt, 35 g geröstete, grob gehackte Mandeln, 140 g Naturjoghurt und 1 EL Ahornsirup* darunterrühren. Das Müsli in Schälchen füllen, mit Früchten der Saison (Erdbeeren, Pfirsich, Birne oder Blaubeeren) garnieren und nochmals mit etwas Ahornsirup* beträufeln.
ERGIBT 2 PORTIONEN.

Ofenpfirsiche mit Rosenwasser-Joghurt

LINKS: 2 Pfirsiche halbieren, entsteinen, mit den Schnittseiten nach oben in eine Auflaufform setzen und mit Zucker bestreuen. Im vorgeheizten Ofen bei 180 Grad 20 Minuten goldbraun backen. 280 g Vanillejoghurt mit ½ TL Rosenwasser verrühren. Die gebräunten Pfirsichhälften auf Teller verteilen, das Rosenwasser-Joghurt daraufgeben und mit ungesalzenen Pistazienkernen bestreuen. **ERGIBT 2 PORTIONEN.**

Omeletts

RECHTS: Eine beschichtete Pfanne bei hoher Temperatur erhitzen. Pro Omelett 1 Ei mit Meersalz und schwarzem Pfeffer verklopfen, in die heiße Pfanne gießen und schwenken, so dass der Boden bedeckt ist. 1 Minute stocken lassen, dann das Omelett aus der Pfanne nehmen und mit einem Belag nach Wahl füllen (Räucherlachs, Sauerrahm und Brunnenkresse oder geschmorte Tomate, Spinat und gebratener Speck). Zusammenrollen und warm servieren.

ERGIBT 1 PORTION.

Bruschetta mit Spargel

UNTEN: 2 Eier 4 Minuten wachsweich kochen, kalt abschrecken und schälen. 1 EL Olivenöl mit 1 TL fein abgeriebener Zitronenschale vermischen und damit 4 große Brotscheiben bestreichen. Das Brot unter dem Backofengrill von beiden Seiten rösten. Dann blanchierte grüne Spargel, hauchdünne Scheiben Parmaschinken* und die gekochten Eier darauf anrichten, salzen, pfeffern und mit geriebenem Parmesan bestreuen.

ERGIBT 2 PORTIONEN.

Wenn ein nahrhafteres Frühstück gefragt ist, gehören Eier, in welcher Form auch immer, auf den Tisch. Auch Bohnen sind vielseitig und beliebt. Zusammen mit Speck sind sie unschlagbar!

Speck und Bohnen

OBEN: 4 grob zerkleinerte Scheiben Frühstücksspeck bei mittlerer bis hoher Temperatur knusprig braten. 400 g abgespülte, abgetropfte weiße Bohnen aus der Dose (Cannellini), 150 g halbierte Kirschtomaten und 1 TL Thymianblättchen dazugeben und etwa 4 Minuten mitschmoren, bis die Tomaten weich werden und die Bohnen durchgewärmt sind. Mit Meersalz und schwarzem Pfeffer aus der Mühle abschmecken und auf gebuttertem Weißbrot servieren. **ERGIBT 2 PORTIONEN.**

Ofeneier auf Speck

LINKS: 6 gefettete Muffinförmchen (je 125 ml Inhalt) mit jeweils 2–3 Scheiben Speck (Pancetta*, Frühstücksspeck) auslegen. 3 Eier, 125 ml Rahm, 1 EL gezupfte Basilikumblätter, 20 g geriebenen Parmesan, Meersalz und schwarzen Pfeffer verrühren, die Eimischung in die mit Pancetta ausgekleideten Formen geben und im vorgeheizten Ofen bei 180 Grad 12 Minuten backen, bis die Eimasse gestockt ist. Mit gebuttertem Toast servieren. **ERGIBT 6 PORTIONEN.**

Schmortomaten auf Blätterteig

RECHTS: Fertig gekauften Blätterteig in 4 Quadrate (ca. 12 cm Kantenlänge) schneiden und auf ein mit Backpapier belegtes Blech legen. 200 g Ricotta* mit 20 g geriebenem Parmesan, Meersalz und Pfeffer vermischen. Die Mischung auf die Teigquadrate streichen (den Rand frei lassen), jeweils 3 Kirschtomaten daraufsetzen, mit Olivenöl beträufeln und mit Thymianblättern bestreuen. Im vorgeheizten Ofen bei 180 Grad 25–30 Minuten backen. **ERGIBT 4 PORTIONEN.**

Schnelles Bananenbrot

UNTEN: 220 g Mehl mit 1½ TL Backpulver, 75 g weißem Zucker, 110 g braunem Zucker, 1 TL Zimt und 1 TL Vanilleextrakt* vermischen. 2 Eier, 125 ml Pflanzenöl und 3 zerquetschte Bananen dazugeben und alles zu einem glatten Teig verarbeiten. Den Teig in eine mit Backpapier ausgekleidete Kastenform (20 cm Länge) geben, mit braunem Zucker bestreuen und im vorgeheizten Ofen bei 160 Grad 1 Stunde backen (mit Metallstäbchen prüfen*).

Sie suchen Ideen für einen Brunch, Inspirationen für ein Picknick oder etwas Unkompliziertes für unterwegs? Diese kleinen Happen sind leicht und doch sättigend, klassisch und zugleich schnell.

French Toast mit Beeren

OBEN: 60 g Frischkäse mit 2 EL feinem Zucker und ¼ TL fein abgeriebener Zitronenschale mischen und 2 dicke Scheiben Brioche damit bestreichen. Leicht angetaute Himbeeren oder Blaubeeren darauf verteilen und jeweils mit einer weiteren Scheibe Brioche bedecken. In einer Pfanne etwas Butter erhitzen und die Sandwiches von jeder Seite 3 Minuten goldgelb anbräunen. Warm zum Frühstück oder Brunch oder mit Eis als Dessert servieren. **ERGIBT 2 PORTIONEN.**

Brötchen mit Ei und Speck

LINKS: Von 8 kleinen Brötchen einen Deckel abschneiden und das weiche Innere herauslösen. 4 Eier, 250 ml Rahm, 2 EL gehackten Schnittlauch, Meersalz und schwarzen Pfeffer verrühren. Die Brötchen auf ein Backblech setzen, das Innere mit 8 Scheiben Frühstücksspeck auskleiden und die Eimischung hineinfüllen. Im vorgeheizten Ofen bei 160 Grad 25–30 Minuten backen, bis die Eimasse gestockt ist. Warm oder kalt servieren. **ERGIBT 8 PORTIONEN.**

1/2 CUP

SCHNELL UND AROMATISCH

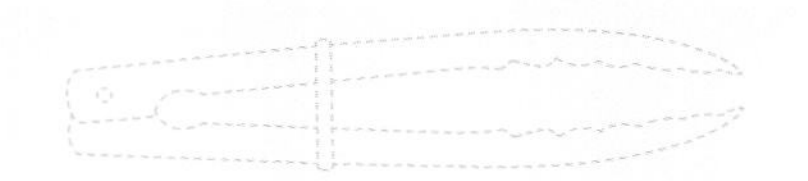

Der Erfolg schneller Gerichte liegt in der Frische der Produkte, originellen Kombinationen und einer unkomplizierten Zubereitung. Ob Grill oder Grillpfanne – die folgenden Gerichte sind nur eine Sache weniger Minuten. Das dunkle Rillenmuster dient nicht nur dem attraktiven Anblick, sondern ist der Schlüssel zu einem herrlich intensiven Aroma!

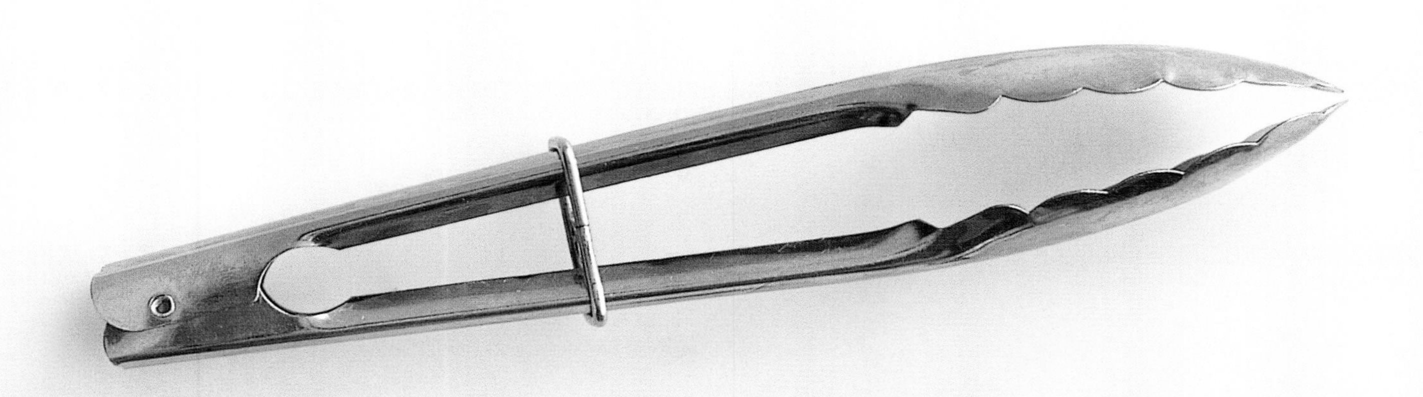

T-BONE-STEAK MIT STEINPILZSALZ

LACHS MIT ZITRONENMAYONNAISE

T-Bone-Steak mit Steinpilzsalz

10 g getrocknete Steinpilze*
1 EL grobes Meersalz
2 T-Bone-Steaks à 300 g
Olivenöl zum Bestreichen
½ TL grob zerstoßener schwarzer Pfeffer
handgeschnittene Pommes frites und Salat als Beilage

Die getrockneten Steinpilze und das Salz im Blitzhacker fein zerkleinern oder im Mörser sehr fein zerstoßen. Die Steaks mit Öl bestreichen und beidseitig mit dem Steinpilzsalz und Pfeffer bestreuen. Eine Grillpfanne oder den Grill erhitzen und die Steaks bei mittlerer Temperatur auf jeder Seite 4–5 Minuten braten oder so lange, bis die Steaks nach Wunsch gegart sind. Nochmals mit etwas Steinpilzsalz bestreuen und mit Pommes frites und einem grünen Salat servieren. ERGIBT 2 PORTIONEN.

Die simple Kombination aus getrockneten Steinpilzen und Salz entfaltet ein ganz unwiderstehliches Aroma. Sie zählt zu meinen Favoriten in diesem Buch, und ich nenne sie auch den »magischen Steinpilzstaub«. Bestäuben Sie Pommes frites, Grill- oder Ofenhähnchen, Lamm oder Rind damit – und machen Sie sich auf einen besonderen Gaumenkitzel gefasst!

Lachs mit Zitronenmayonnaise

2 Lachsfilets à 200 g
10 grüne Spargel
Olivenöl zum Bestreichen
Meersalz und schwarzer Pfeffer aus der Mühle
1 Romanasalatherz, geputzt
Für die Zitronenmayonnaise:
150 g fertig gekaufte Mayonnaise
2 EL fein gehackte eingelegte Zitrone*
1 EL fein gehackter Kerbel

Für die Zitronenmayonnaise die Mayonnaise mit der gehackten eingelegten Zitrone und dem Kerbel verrühren. Die Lachsfilets längs dritteln. Lachs und Spargel mit Olivenöl bestreichen, salzen und pfeffern. Eine Grillpfanne oder den Grill erhitzen und den Lachs sowie die Spargel bei mittlerer bis hoher Temperatur von jeder Seite 1–2 Minuten braten oder so lange, bis der Lachs nach Wunsch durchgegart und der Spargel zart, aber noch bissfest ist. Zusammen mit dem Salat auf Tellern anrichten und mit der Zitronenmayonnaise servieren. ERGIBT 2 PORTIONEN.

Pfeffersteaks mit Apfel-Kraut-Salat

4 Lendensteaks vom Schwein à 75 g
Olivenöl zum Bestreichen
2 TL grob zerstoßener schwarzer Pfeffer
1 Prise getrocknete Chiliflocken
Für den Apfel-Kraut-Salat:
1 grüner Apfel, grob gerieben
160 g fein geschnittenes Weißkraut
2 EL grob gehackter Schnittlauch
75 g Mayonnaise
1 TL Honig

Die Schweinesteaks dünn mit Olivenöl bestreichen. Pfeffer, Chiliflocken und Salz mischen und das Fleisch damit auf beiden Seiten würzen. Eine Grillpfanne oder den Grill auf hohe Temperatur erhitzen und das Fleisch von jeder Seite 2–3 Minuten braten, vom Feuer nehmen und kurz ruhen lassen. Für den Salat den grob geriebenen Apfel, das geschnittene Weißkraut und den Schnittlauch vermischen. Mayonnaise und Honig verrühren und gut unter den Salat heben. Das Fleisch zusammen mit dem Apfel-Kraut-Salat servieren. ERGIBT 2 PORTIONEN.

PFEFFERSTEAKS MIT APFEL-KRAUT-SALAT

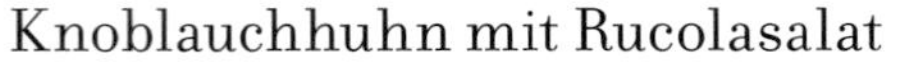

Knoblauchhuhn mit Rucolasalat

4 Hühnerschenkelfilets à 140 g
2 EL Olivenöl
6 Knoblauchzehen, gepresst
1 EL Oregano
Meersalz und schwarzer Pfeffer aus der Mühle
Für den Rucolasalat:
40 g Rucola, in Streifen geschnitten
40 g entsteinte Oliven, halbiert
40 g Parmesan, gehobelt
1 EL Balsamicoessig
1 EL Olivenöl

Das Hühnerfleisch mit Öl, Knoblauch, Oregano, Salz und Pfeffer in eine Schüssel geben, gut vermischen und 10 Minuten ziehen lassen. Für den Salat Rucola, Oliven, Parmesan, Essig und Öl behutsam vermischen. Eine Grillpfanne oder den Grill auf hohe Temperatur erhitzen und die Hühnerfilets von jeder Seite 4–5 Minuten braten, dabei immer wieder mit der verbliebenen Marinade bestreichen. Das Fleisch auf Teller verteilen und mit dem Rucolasalat servieren. ERGIBT 2 PORTIONEN.

Garnelen mit Zitronengras-Limetten-Butter

12 große rohe Garnelenschwänze (Crevetten), ungeschält
2 Stängel Zitronengras*, hartes Äusseres entfernt, Inneres sehr fein gehackt
1 TL fein abgeriebene Zitronenschale
60 g weiche Butter
Meersalz
Eisbergsalat, in Spalten geschnitten als Beilage

Die Garnelen auf der Bauchseite der Länge nach einschneiden, auseinanderklappen und flachdrücken. Zitronengras, Zitronenschale, Butter und Salz gut vermischen, in der Mikrowelle oder in einem kleinen Topf auf dem Herd bei niedriger Temperatur schmelzen und die Garnelen mit der Butter bestreichen. Eine Grillpfanne oder den Grill auf mittlere bis hohe Temperatur erhitzen und die Garnelen 3 Minuten garen oder so lange, bis sie gar sind. Mit dem Eisbergsalat servieren. ERGIBT 2 PORTIONEN.

Scharfes Huhn mit Süßkartoffeln

1 EL Harissa*
2 EL Olivenöl
1 kleines Bund Koriander, grob gehackt
Meersalz
4 Hühnerschenkelfilets à 140 g, halbiert
500 g orangefleischige Süßkartoffeln*, geschält und dünn geschnitten
40 g zarter, junger Blattspinat
Tsatsiki*, fertig gekauft, zum Servieren

Harissa, Öl, Koriander und Salz in einer Schüssel verrühren. Das Hühnerfleisch und die Süßkartoffeln dazugeben und gut vermischen. Eine Grillpfanne oder den Grill auf mittlere Temperatur erhitzen, das Hühnerfleisch und die Süßkartoffeln von jeder Seite 4–5 Minuten braten oder so lange, bis alles goldbraun und gar ist. Die Spinatblätter auf Tellern verteilen, Huhn und Süßkartoffeln darauf anrichten, mit Tsatsiki servieren. ERGIBT 2 PORTIONEN.

Hühner-Quesadillas mit Koriander

75 g weicher Frischkäse
2 EL Limettensaft
1 große grüne Chili, entkernt, fein gehackt
3 Frühlingszwiebeln, fein geschnitten
320 g gegartes Hühnchenbrustfilet, grob zerkleinert
Meersalz und schwarzer Pfeffer aus der Mühle
8 kleine Mais- oder Weizentortillas
1 Bund Koriander
120 g Cheddarkäse, gerieben
Pflanzenöl zum Bestreichen
Limettenspalten und Tomatensalat mit Zwiebeln und Koriander

Den Frischkäse mit Limettensaft und Chili gut vermischen. Die Frühlingszwiebeln und das Hühnerfleisch darunterheben, salzen und pfeffern. Die Hälfte der Tortillas mit der Hühner-Frischkäse-Mischung bestreichen, mit Korianderblättern und geriebenem Käse bestreuen und mit den restlichen Tortillas bedecken. Von beiden Seiten mit etwas Olivenöl bestreichen. Eine Grillpfanne oder den Grill auf mittlere Temperatur erhitzen und die gefüllten Quesadillas auf jeder Seite 2 Minuten braten, bis die Tortillas knusprig sind. Mit Limettenspalten und einem Salat aus Tomaten, Koriander und Zwiebeln servieren. ERGIBT 2 PORTIONEN.

CURRYHUHN MIT KOKOSNUDELN

LAMM MIT HARISSA AUF SALATBETT

Curryhuhn mit Kokosnudeln

2 Hühnerbrustfilets à 200 g, längs halbiert
2 TL grüne Thai-Currypaste*
2 EL Öl
Limettenspalten zum Servieren
Für die Kokos-Koriander-Nudeln:
100 g getrocknete Reis-Bandnudeln
1 TL Zucker
1 EL Limettensaft
4 Frühlingszwiebeln, schräg in Scheiben geschnitten
30 g Koriander
1 große grüne Chili, fein geschnitten
100 ml Kokosmilch
1 EL Fischsauce*

Für die Kokos-Koriander-Nudeln die Nudeln in einer Schüssel mit kochendem Wasser übergießen, 10 Minuten ziehen lassen, abgießen und gründlich kalt abschrecken. Den Zucker in dem Limettensaft auflösen und über die Nudeln gießen, dann Frühlingszwiebeln, Korianderblätter, Chili, Kokosmilch und Fischsauce darunterheben. Die Nudeln auf Teller verteilen. Für das Fleisch die Currypaste mit dem Öl verrühren und die Hühnerbrustfilets auf beiden Seiten dünn damit bestreichen. Eine Grillpfanne oder den Grill auf hohe Temperatur erhitzen und die Hühnerfilets von jeder Seite 2–3 Minuten garen. Das Fleisch zu den Nudeln anrichten und mit Limettenspalten servieren. ERGIBT 2 PORTIONEN.

Sie werden staunen, wie viele verschiedene Einsatzmöglichkeiten wir uns für die zahlreichen Gewürze ausgedacht haben, die wir in unserer Testküche vorrätig haben. Rote und grüne Thai-Currypaste, indische Tandoori-Paste, Curry-Gewürzmischungen und Chili-Marmelade geben als Dip oder Marinade für gegrilltes, gebratenes oder geschmortes Fleisch, für Meeresfrüchte oder Gemüse einen schnellen, pikanten Aroma-Kick.

Lamm mit Harissa auf Salatbett

200 g Lendenfilet vom Lamm, pariert
2 TL Harissa* oder Chilipaste
1 EL Olivenöl
2 EL Zitronensaft
2 TL gehackte Oreganoblätter
Meersalz und schwarzer Pfeffer aus der Mühle
40 g zarter, junger Blattspinat
2 Tomaten, in Scheiben geschnitten
einige Minzeblätter
Olivenöl zum Beträufeln
2 Fladenbrote
100 g fertig gekaufte Auberginenpaste (Baba Ghanoush)
Zitronenspalten zum Servieren

Die Lammfilets in eine flache Schale legen. Harissa, Öl, Zitronensaft, Oregano, Salz und Pfeffer vermischen, über das Fleisch geben und dieses 15 Minuten ziehen lassen. Eine Grillpfanne oder den Grill auf mittlere bis hohe Temperatur erhitzen und das Lammfleisch von jeder Seite 4 Minuten braten oder so lange, bis es nach Wunsch durchgegart ist. Spinatblätter, Tomatenscheiben und Minze auf die Teller verteilen und einige Tropfen Olivenöl darüberträufeln. Das Lammfilet aufschneiden und auf dem Salatbett anrichten. Dazu Fladenbrot, Auberginenpaste und Zitronenspalten reichen. ERGIBT 2 PORTIONEN.

Steaks mit Rohschinken und Blauschimmelkäse

1 EL Balsamicoessig
1 EL Olivenöl
2 dicke Lenden- oder Filetsteaks à 220 g, pariert
2 sehr große braune Champignons, Stiele entfernt
schwarzer Pfeffer aus der Mühle
1 EL Senf
4 Scheiben Rohschinken (z.B. Parmaschinken*)
50 g zarter, junger Blattspinat
70 g weicher Blauschimmelkäse

Essig und Öl verrühren und damit die Steaks sowie die Champignons bestreichen, dann reichlich pfeffern. Die Steaks anschließend mit Senf bestreichen und mit den Rohschinkenscheiben umwickeln. Eine Grillpfanne oder den Grill auf mittlere bis hohe Temperatur erhitzen und Steaks sowie Champignons von jeder Seite 5 Minuten garen oder so lange, bis das Fleisch nach Wunsch durchgegart ist. Die Spinatblätter auf die Teller verteilen, darauf das Fleisch und die Champignons dazu anrichten. Jeweils etwas Blauschimmelkäse auf das Fleisch geben und leicht zerlaufen lassen. ERGIBT 2 PORTIONEN.

STEAKS MIT ROHSCHINKEN UND BLAUSCHIMMELKÄSE

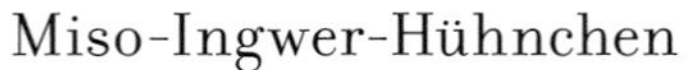

Miso-Ingwer-Hühnchen

2 EL Misopaste*
2 EL Sojasauce
2 TL geriebener Ingwer
2 TL Sesamöl
2 Hühnerbrustfilets à 200 g, längs gedrittelt
Für den Zuckerschotensalat:
150 g Zuckerschoten, fein geschnitten
1½ EL eingelegter Ingwer (Gari)*
1 EL Sesamkörner, geröstet

Für den Salat die Zuckerschoten in eine Schüssel geben, mit kochendem Wasser übergießen und 1 Minute gar ziehen lassen, dann abgießen. Zuckerschoten, eingelegten Ingwer und Sesam in einer kleinen Schüssel mischen und zugedeckt beiseite stellen. Für das Fleisch Misopaste, Sojasauce, Ingwer und Sesamöl verrühren, die Hühnerfiletstreifen dazugeben und 5 Minuten ziehen lassen. Eine Grillpfanne oder den Grill auf mittlere bis hohe Temperatur erhitzen und das Fleisch von jeder Seite 2 Minuten garen oder so lange, bis das Fleisch durchgegart ist. Fleisch und Salat auf die Teller verteilen. ERGIBT 2 PORTIONEN.

Steak mit Chili und Avocado

2 TL Paprikapulver
½ TL grob zerstoßener schwarzer Pfeffer
2 TL fein gehackte Thymianblätter
Meersalz
2 Lenden- oder Filetsteaks à 220 g
Olivenöl zum Bestreichen
Für die Chili-Avocado-Garnitur:
3 große rote Chilis, längs halbiert und entkernt
1 Avocado, geschält, in Schnitze oder dicke Scheiben geschnitten
1½ EL Limettensaft
1 Bund Koriander

Paprikapulver, Pfeffer, Thymian und Salz mischen. Die Steaks dünn mit Öl bestreichen und auf beiden Seiten mit der Gewürzmischung bestreuen. Eine Grillpfanne oder den Grill auf mittlere bis hohe Temperatur erhitzen und die Steaks sowie die Chilis – diese mit der Außenseite nach unten – von jeder Seite 3 Minuten braten oder so lange, bis das Fleisch nach Belieben durchgegart ist und die Chilis schwarze Stellen bekommen. Die Steaks auf vorgewärmte Teller geben. Für die Garnitur die gerösteten Chilis mit den Avocadoschnitzen oder -scheiben, Limettensaft, Koriander und Salz vermischen. Auf die Steaks geben und servieren. ERGIBT 2 PORTIONEN.

Huhn mit Mandelcouscous

1 EL Olivenöl
2 Knoblauchzehen, gepresst
2 Hühnerbrustfilets à 200 g, längs halbiert
Meersalz und Gewürzsumach*
zarter, junger Blattspinat zum Servieren
Für das Mandelcouscous:
200 g Instant-Couscous*
250 ml kochendes Wasser
1 Prise Chiliflocken
25 g Butter
3 Frühlingszwiebeln, fein geschnitten
45 g geröstete Mandelsplitter

Das Couscous in einer Schüssel mit dem kochenden Wasser übergießen und 5 Minuten ziehen lassen. Mit einer Gabel lockern und Chiliflocken, Butter, Frühlingszwiebeln und Mandelsplitter darunterheben. Öl und Knoblauch verrühren und die Hühnerfilets damit dünn bestreichen, anschließend mit Salz und Sumach würzen. Eine Grillpfanne oder den Grill auf mittlere bis hohe Temperatur erhitzen und die Hühnerfilets von jeder Seite 3 Minuten garen oder so lange, bis sie durchgegart sind. Das Fleisch mit dem Couscous und dem Spinat anrichten.

ERGIBT 2 PORTIONEN.

Lammkoteletts mit Salbei und jungem Lauch

4 Lammkoteletts à 125 g
4 Zweige Salbei
4 Stangen junger Lauch, gesäubert und längs halbiert
Olivenöl zum Bestreichen
Meersalz und schwarzer Pfeffer aus der Mühle
Blattsalat zum Servieren
Für das Buttermilch-Dressing:
125 ml Buttermilch
1 Bund glattblättrige Petersilie, fein gehackt
1 TL fein abgeriebene Zitronenschale

Für das Dressing die Buttermilch mit Petersilie und Zitronenschale gut verrühren, beiseite stellen. Auf jedes Kotelett einen Salbeizweig legen und mit Küchengarn umwickeln. Die halbierten Lauchstangen und die Lammkoteletts mit Olivenöl bestreichen, salzen und pfeffern. Eine Grillpfanne oder den Grill auf mittlere bis hohe Temperatur erhitzen und die Koteletts sowie den Lauch von jeder Seite 4 Minuten braten oder so lange, bis das Fleisch nach Belieben durchgegart und der Lauch weich und goldbraun ist. Die Spinatblätter und den Lauch auf die Teller verteilen, die Lammkoteletts darauf anrichten und mit dem Buttermilch-Dressing beträufeln. ERGIBT 2 PORTIONEN.

AUBERGINEN-SALAT MIT JOGHURT-MINZ-DRESSING

MOZZARELLA-SPINAT-PIZZA VOM GRILL

Auberginen-Salat mit Joghurt-Minz-Dressing

80 ml Olivenöl
1½ TL gemahlener Kreuzkümmel
1½ TL Paprikapulver
Meersalz und schwarzer Pfeffer aus der Mühle
2 Auberginen (600 g), in Scheiben geschnitten
200 g Haloumi*, in Scheiben geschnitten
400 g Kichererbsen aus der Dose, abgespült und abgetropft
250 g Kirschtomaten, halbiert
einige Zweige glattblättrige Petersilie, grob gezupft
1 TL Gewürzsumach*
Für das Joghurt-Minz-Dressing:
200 g Naturjoghurt
1 Bund Minze, fein gehackt
1 Knoblauchzehe, gepresst
1 TL Zitronensaft

Für das Dressing den Joghurt mit Minze, Knoblauch, Zitronensaft und Salz verrühren, beiseite stellen. Das Olivenöl mit Kreuzkümmel, Paprikapulver, Salz und Pfeffer verrühren und die Auberginenscheiben von beiden Seiten damit bestreichen. Eine Grillpfanne oder den Grill auf mittlere Temperatur erhitzen und die Auberginen portionsweise von jeder Seite 2 Minuten goldbraun braten. Danach den Haloumi von jeder Seite 1 Minute goldbraun braten. Kichererbsen, Tomaten und Petersilie mischen. Das Dressing auf die Teller verteilen, darauf in Schichten die Auberginenscheiben, den Haloumi und den Kichererbsensalat anrichten. Vor dem Servieren mit dem Sumach bestreuen. ERGIBT 2 PORTIONEN.

Das gewisse Etwas macht ein Alltagsgericht zu etwas ganz Besonderem. Sumach gibt den Auberginen ein pikantes Aroma und einen attraktiven purpurnen Schimmer. Eingelegte Zwiebeln aus dem Glas machen ein profanes Grillgericht zu einem Mahl, das allen in bester Erinnerung bleibt.

Mozzarella-Spinat-Pizza vom Grill

200 g Blattspinat
2 runde Pitabrote
240 g Ricotta*
2 TL fein abgeriebene Zitronenschale
2 TL Zitronenthymianblätter
6 kleine Mozzarellakugeln, halbiert
8 Scheiben Speck (Pancetta*)
Rucola zum Servieren

Den Spinat in einer Schüssel mit kochendem Wasser übergießen, 2 Minuten ziehen lassen, abgießen und mit Hilfe von Küchenpapier gut ausdrücken, so dass er kein überschüssiges Wasser mehr enthält. Dann den Spinat grob hacken. Die Pitabrote mit dem Ricotta bestreichen, darauf den Spinat, Zitronenschale, Thymian, Mozzarella und Speck verteilen. Eine Grillpfanne oder den Grill auf mittlere Temperatur erhitzen und die belegten Teigfladen bei geschlossenem Deckel 5 Minuten erwärmen, bis sich der Boden goldbraun färbt und der Käse schmilzt. Mit Rucola servieren. ERGIBT 2 PORTIONEN.

Kräutersteak mit eingelegten Zwiebeln

1 EL Thymianblätter
1 EL Oreganoblätter
½ TL grob zerstoßener schwarzer Pfeffer
Meersalz
400 g Rumpsteak, pariert
Rucola zum Servieren
Für die eingelegten Zwiebeln:
2 Zwiebeln, in dicke Scheiben geschnitten
Olivenöl zum Bestreichen
60 ml Balsamicoessig
50 g brauner Zucker

Für die eingelegten Zwiebeln die Zwiebelscheiben mit Olivenöl bestreichen und von jeder Seite 3–4 Minuten anbräunen oder so lange, bis sie weich werden und sich goldbraun färben. Den Essig mit dem Zucker in einer flachen Schale verrühren, die angebräunten Zwiebeln dazugeben und darin wenden. Zugedeckt warm halten. Für das Fleisch Thymian, Oregano, Pfeffer und Salz mit dem Öl verrühren, das Rumpsteak damit von allen Seiten einreiben und 10 Minuten durchziehen lassen. Eine Grillpfanne oder den Grill auf mittlere Temperatur erhitzen und das Steak von jeder Seite 4 Minuten braten oder so lange, bis es nach Belieben durchgegart ist. Das Fleisch in dicke Scheiben aufschneiden, mit den Zwiebeln und dem Rucola servieren. ERGIBT 2 PORTIONEN.

KRÄUTERSTEAK MIT EINGELEGTEN ZWIEBELN

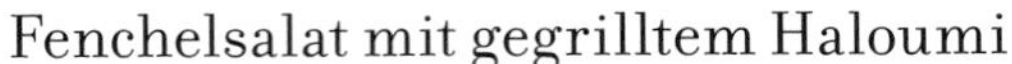

Fenchelsalat mit gegrilltem Haloumi

60 ml Olivenöl
1 EL grob zerstoßener schwarzer Pfeffer
500 g Fenchel, in Scheiben geschnitten
250 g Haloumi*, in Scheiben geschnitten
1 braunschalige Birne, dünn aufgeschnitten
30 g Rucola
Für das Walnuss-Schnittlauch-Dressing:
1 EL Olivenöl
1 EL Zitronensaft
1 TL Dijonsenf
25 g Walnusskerne
1 EL fein gehackter Schnittlauch

Für das Dressing alle Zutaten verrühren, beiseite stellen. Das Öl und den Pfeffer vermischen, Fenchel und Haloumi dazugeben und darin wenden. Eine Grillpfanne oder den Grill erhitzen und den Fenchel von jeder Seite 2–3 Minuten garen oder so lange, bis er zart und goldbraun ist. Dann den Haloumi von jeder Seite 1–2 Minuten braten oder so lange, bis er durchgewärmt ist und sich außen goldbraun färbt. Abwechselnd Fenchel, Käse, Birne und Rucola aufeinander schichten, mit dem Dressing beträufeln. ERGIBT 2 PORTIONEN.

Chorizosalat mit Paprikadressing

3 Chorizo-Würstchen* à 150 g, längs in dicke Scheiben geschnitten
1 rote Paprikaschote, geviertelt, entkernt
160 g kleine Frühkartoffeln, gekocht und in Scheiben geschnitten
80 g zarter, junger Blattspinat
Für das Paprikadressing:
1 TL Paprikapulver
2 EL Olivenöl
1 EL Sherry- oder Rotweinessig
Meersalz und schwarzer Pfeffer aus der Mühle

Für das Dressing Paprikapulver, Öl, Essig, Salz und Pfeffer verrühren. Eine Grillpfanne oder den Grill auf mittlere bis hohe Temperatur erhitzen und die Chorizoscheiben von jeder Seite 2–3 Minuten braten oder so lange, bis sie knusprig sind, dann beiseite stellen. Die geviertelte Paprikaschote in derselben Pfanne von jeder Seite 2–3 Minuten anbraten oder so lange, bis sich die Haut schwarz zu verfärben beginnt. Kartoffelscheiben, Spinatblätter, Chorizo und Paprika auf die Teller verteilen und mit dem Dressing beträufeln. ERGIBT 2 PORTIONEN.

Italienischer Salat mit Basilikumdressing

2 Scheiben Brot
2 Zucchini, längs in dicke Scheiben geschnitten
2 reife Zweigtomaten, halbiert
80 ml Olivenöl zum Bestreichen
Meersalz und schwarzer Pfeffer aus der Mühle
1 Knoblauchzehe, halbiert
40 g Rucola
50 g schwarze Oliven, entsteint
Für das Basilikumdressing:
1 kleines Bund Basilikum
40 g Pinienkerne, geröstet
2 EL Olivenöl
2 EL Balsamicoessig

Das Brot, die Zucchinischeiben und die Tomaten mit Öl bestreichen, salzen und pfeffern. Eine Grillpfanne oder den Grill erhitzen und das Brot, die Zucchini sowie die Tomaten von beiden Seiten garen, bis das Brot schön geröstet und das Gemüse weich ist. Das Brot mit den Knoblauchhälften einreiben. Den Rucola auf die Teller verteilen, darauf Brotscheiben, Zucchini, Tomaten und Oliven anrichten. Die grob gezupften Basilikumblätter, Pinienkerne, Öl und Essig zu einem Dressing verrühren und über den Salat geben. ERGIBT 2 PORTIONEN.

Lammburger mit Rosmarin

400 g Lammhackfleisch
1 TL fein gehackte Rosmarinnadeln
2 EL Dijonsenf
1 EL Honig
35 g Semmelbrösel
1 Eigelb
Meersalz und schwarzer Pfeffer aus der Mühle
Olivenöl zum Bestreichen
2 türkische Fladenbrote, halbiert
70 g Naturjoghurt
1 kleine Salatgurke, in Scheiben geschnitten
1 EL gezupfte Minzeblätter
40 g Rucola

Das Lammhackfleisch mit Rosmarin, Senf, Honig, Semmelbröseln, Eigelb, Salz und Pfeffer mischen und gut verkneten, anschließend zu zwei flachen Frikadellen formen und mit Öl bestreichen. Eine Grillpfanne oder den Grill erhitzen und die beiden Frikadellen von jeder Seite 5–8 Minuten braten oder so lange, bis sie durchgegart sind. Die Fladenbrote auf dem Grill oder in der Pfanne rösten. 2 Brothälften mit dem Joghurt bestreichen, mit Gurkenscheiben, Minze, den Frikadellen und dem Rucola belegen, mit den beiden übrigen Brotscheiben bedecken. ERGIBT 2 PORTIONEN.

GEGRILLTER TOFU MIT CHILIDRESSING

GARNELENSPIESS MIT KNOBLAUCH UND PETERSILIE

Gegrillter Tofu mit Chilidressing

100 g getrocknete Reis-Bandnudeln
1 EL Sesamöl
1 EL Erdnussöl
300 g fester Tofu
12 grüne Spargel
Für das Chilidressing:
1 große rote Chili, fein gehackt
60 ml Sojasauce
1 EL brauner Zucker
2 TL fein geriebener Ingwer
2 EL geröstete Erdnüsse, gehackt

Für das Dressing gehackte Chili, Sojasauce, Ingwer und Erdnüsse verrühren und beiseite stellen. Die Nudeln in einer Schüssel mit kochendem Wasser übergießen und 10 Minuten gar ziehen lassen oder so lange, bis sie weich sind, dann abgießen. Sesam- und Erdnussöl mischen und damit den Tofu und die Spargel bestreichen. Eine Grillpfanne oder den Grill auf mittlere bis hohe Temperatur erhitzen und den Tofu sowie die Spargel von jeder Seite 3 Minuten garen oder so lange, bis der Tofu sich goldbraun färbt und die Spargel weich sind. Zum Servieren die Nudeln auf die Teller verteilen, den Tofu und die Spargel darauf anrichten und mit dem Chilidressing beträufeln. ERGIBT 2 PORTIONEN.

Tofu ist eine wunderbare Zutat, die jedes Aroma, mit dem man ihn kombiniert, annimmt, so auch die herrliche Karamellnote des Holzkohlengrills. Kaufen Sie für dieses Rezept möglichst festen Tofu; sogenannter Seiden- oder Weichtofu zerfällt beim Garen zu schnell.

Garnelenspieß mit Knoblauch und Petersilie

12-16 rohe Garnelen (Crevetten), geschält, mit Schwanz
12 kleine Knoblauchzehen, ungeschält
2 EL Olivenöl
1 EL fein gehackte glattblättrige Petersilie
Meersalz und schwarzer Pfeffer aus der Mühle
Zitronenspalten zum Servieren

Die Garnelen und die Knoblauchzehen auf Spieße stecken. Das Öl mit Petersilie, Salz und Pfeffer verrühren und damit die Garnelen bestreichen. Eine Grillpfanne oder den Grill auf mittlere bis hohe Temperatur erhitzen und die Spieße von jeder Seite 2-3 Minuten garen oder so lange, bis sich die Garnelen rosa färben und gar sind. Mit Zitronenspalten servieren.
ERGIBT 2 PORTIONEN.

Kräuter-Kalbsschnitzel-Sandwiches

2 Kalbsschnitzel à 200 g
1 EL Dijonsenf
1 EL fein gehackte glattblättrige Petersilie
1 EL fein gehackte Minze
1 EL fein gehackter Schnittlauch
4 Scheiben Brot
Olivenöl zum Bestreichen
Meersalz und schwarzer Pfeffer aus der Mühle
2 EL Mayonnaise
Blattsalat zum Servieren

Jeweils eine Seite der Kalbsschnitzel mit Senf bestreichen. Petersilie, Minze und Schnittlauch mischen und die Hälfte der Kräutermischung auf die mit Senf bestrichene Fleischseite streuen. Dann die Schnitzel jeweils in der Mitte zusammenklappen und festdrücken. Das Fleisch und die Brotscheiben mit Olivenöl bestreichen, mit Salz und Pfeffer würzen. Eine Grillpfanne oder den Grill auf hohe Temperatur erhitzen und Brot und Schnitzel von jeder Seite 3-4 Minuten braten oder so lange, bis das Brot geröstet und das Fleisch durchgegart ist. Zwei der Brotscheiben mit Mayonnaise bestreichen und mit der restlichen Kräutermischung bestreuen. Das gebratene Schnitzel darauflegen und mit der zweiten Brotscheibe bedecken. Mit Blattsalat servieren.
ERGIBT 2 PORTIONEN.

KRÄUTER-KALBSSCHNITZEL-SANDWICHES

TURBO REZEPTE 2

Marinaden und Würzmischungen

Wie oft haben Sie sich schon das ultimative Gewürz gewünscht, das ein Alltagsessen in ein unvergessliches Festmahl verwandelt? Nichts leichter als das. Es gibt herrliche Mischungen, die Fleisch, Fisch und Gemüse zum kulinarischen Hochgenuss erheben. Und: Alles, was Sie dafür brauchen, finden Sie in Ihrer Speisekammer oder im Kräutergarten.

Wacholder-Salbei-Marinade

RECHTS: 1 EL Wacholderbeeren mit einem Löffelrücken zerdrücken. Mit 6 Zweigen fein geschnittenem Salbei, ½ TL grobem Meersalz, ½ TL grob zerstoßenem schwarzem Pfeffer und 1 Spritzer Olivenöl vermischen. Diese Marinade eignet sich für Huhn, Ente, Lamm und Schwein. Man kann die Marinade auch erst vor dem Braten auf das Fleisch auftragen – so entfalten sich die Aromen während des Garprozesses besonders gut.

Fenchel-Oregano-Mischung

UNTEN: 2 EL Fenchelsamen in einer trockenen Pfanne bei mittlerer Temperatur 2–3 Minuten andünsten, bis die Fenchelsamen fein duften. Dann mit 1 EL grobem Meersalz und 2 EL Oreganoblättern in der Gewürzmühle fein mahlen. Mit dieser Mischung Schweinefilet, Schweinshaxe, Steaks oder Koteletts vor dem Garen einreiben. Passt auch gut zu Lammhaxe, Lammkoteletts oder -steaks.

Nicht nur die Anzahl der Gewürze macht eine raffinierte Mischung aus, sondern vor allem die Ausgewogenheit der Aromen. So sind zum Beispiel Fenchel und Oregano eine klassische Kombination.

Orientalische Mischung

OBEN: 1 EL fein gehackte Oreganoblätter, 1 EL fein gehackte Thymianblätter, 1 EL Sesamkörner, 1 EL Gewürzsumach* und 1 TL grobes Meersalz mischen. Huhn oder Lammfleisch, Meeresfrüchte oder Gemüse damit vor dem Grillen, Braten oder Schmoren einreiben.

Bunte Pfeffermischung

LINKS: 2 TL grobes Meersalz, 1 TL weiße Pfefferkörner und 1 TL schwarze Pfefferkörner im Mörser grob zerstoßen. 1 EL eingelegte grüne Pfefferkörner abtropfen lassen und grob zerdrücken, zu der Mischung hinzufügen. Eignet sich zum Würzen von Rind-, Lamm-, Hühner- und Schweinefleisch.

Hoisinmarinade

RECHTS: 80 ml Hoisinsauce* mit 1 EL fein geriebenem Ingwer, ½ TL chinesischem Fünf-Gewürze-Pulver* und 1 TL Sesamöl verrühren. Mit dieser Marinade vor dem Garen Hühnchenteile, weißes Fischfilet, Schweinefilet oder -koteletts bestreichen. Die Marinade während des Garens nochmals auftragen.

Limetten-Zitronengras-Marinade

UNTEN: 3 Stängel fein gehacktes Zitronengras*, 2 TL fein abgeriebene Limettenschale, 60 ml Limettensaft, 1 EL Fischsauce*, 2 große rote Chilis, 1 EL braunen Zucker, 1 EL Pflanzenöl und 1 EL fein geriebenen Ingwer in der Küchenmaschine oder im Mixer fein pürieren. Damit Hühnerfleisch, Rindfleisch oder Fisch bestreichen.

Zeitmangel heißt nicht Aromamangel. Wenn die Zeit nicht zum Marinieren reicht, bestreichen Sie Fleisch oder Fisch einfach vor dem Grillen oder Braten dick mit Marinade und wiederholen Sie dies während des Garens.

Süße Chilimarinade

OBEN: 8 zerkleinerte große rote Chilis, 1 Zwiebel, 2 Knoblauchzehen, 60 ml Fischsauce* und 55 g braunen Zucker im Blitzhacker oder Mixer fein pürieren. Die Masse anschließend in einer beschichteten Pfanne bei mittlerer bis hoher Temperatur andünsten, bis sie eindickt und sich braun verfärbt. Damit vor dem Grillen oder Braten Hühner-, Schweine- oder Rindfleisch bestreichen und 10 Minuten marinieren.

Barbecue-Marinade

LINKS: 2 EL Worcestershiresauce, 2 durchgepresste Knoblauchzehen, 125 ml Bier, 2 EL Tomatenmark, 1 EL braunen Zucker, Meersalz und schwarzen Pfeffer aus der Mühle verrühren. In dieser Marinade Rindersteaks, Lamm- oder Hühnerfleisch ziehen lassen oder das Fleisch während des Grillens oder Bratens damit bestreichen.

Knoblauch-Rosmarin-Marinade

RECHTS: 4 in Scheiben geschnittene Knoblauchzehen, 3 Rosmarinzweige, in 3 cm lange Stücke geschnitten, 60 ml Olivenöl, 1 EL Balsamicoessig, 1 TL Meersalz und schwarzen Pfeffer aus der Mühle vermischen. In dieser Marinade Lamm, Schwein und Huhn vor dem Grillen oder Braten einlegen oder das Fleisch während des Garens damit bestreichen.

Grillmarinade mit Raucharoma

UNTEN: 1 EL geräuchertes Paprikapulver mit 1 EL gehackten Thymianblättern, 1 EL gehackten Oreganoblättern, ½ TL grob zerstoßenem schwarzem Pfeffer und 1 TL grobem Meersalz mischen. Spareribs, Rind-, Schweine- oder Lammfleisch, Huhn oder Gemüse vor dem Grillen oder Braten mit Öl bestreichen und anschließend großzügig mit der Gewürzmischung einreiben.

Pikante Mischungen aus Kräutern und Gewürzen sind ein sicherer Weg zu mehr Geschmack. Knoblauch, Pfeffer, Salz, Chili und Zitrone dürfen im Vorrat des Turbo-Kochs nicht fehlen – sie heben im Nu jedes Aroma.

Pfeffrige China-Gewürzmischung

OBEN: Eine kleine Pfanne bei mittlerer bis hoher Temperatur erhitzen. 1 TL Szechuanpfefferkörner*, 2 getrocknete rote Chilis, 1 Zimtstange, 1 TL schwarze Pfefferkörner und 2 EL Meersalz darin unter Rühren 4 Minuten rösten oder so lange, bis die Gewürzmischung aromatisch duftet. Dann die Mischung in der Gewürzmühle grob mahlen. Meeresfrüchte, Geflügel oder Schweinefleisch vor oder nach dem Garen damit bestreuen.

Zitronen-Thymian-Paste

LINKS: 70 g gehackte eingelegte Zitronenschale*, 2 EL Thymianblätter, 4 Knoblauchzehen, grobes Meersalz, grob zerstoßener schwarzer Pfeffer und 80 ml Olivenöl mit dem Pürierstab zu einer Paste verarbeiten. Fisch, Huhn oder Gemüse darin marinieren oder diese vor dem Braten damit großzügig bestreichen, so dass sich das Aroma während des Garens entfaltet.

AUS EINER PFANNE

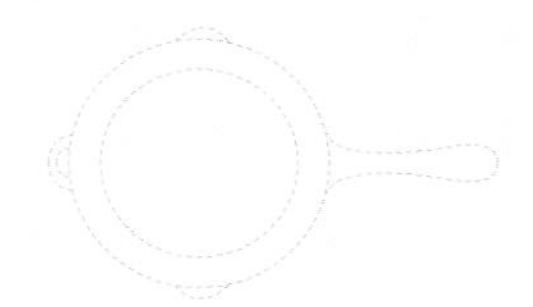

Gerichte aus einer Pfanne sind nicht nur bei Campern und Studenten beliebt. Wir haben die besten schnellen Pfannengerichte unter die Lupe genommen, modernisiert und verfeinert. Lassen Sie sich überraschen von raffinierten Verbindungen und großen Aromen. Und nach dem Essen wartet in der Küche kein großer Abwasch – sondern nur eine einzige Pfanne.

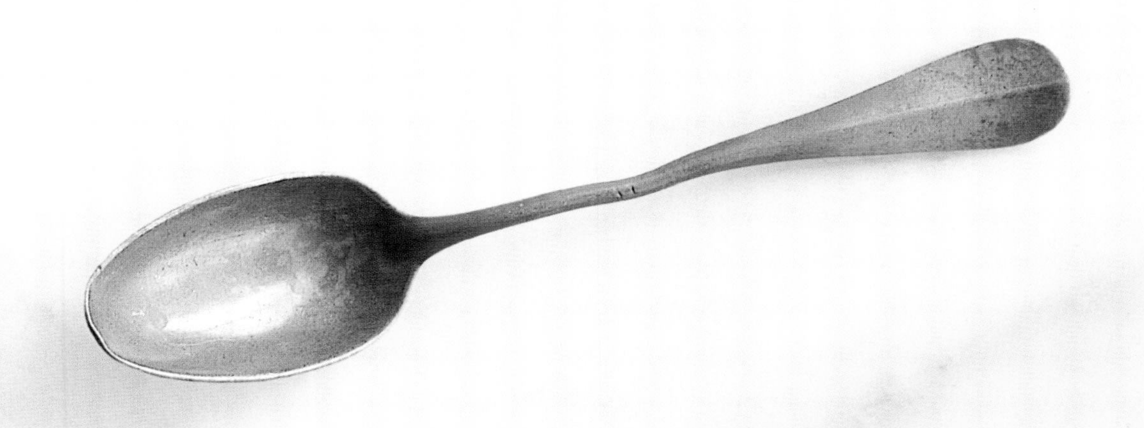

LAMM MIT SENFKRUSTE UND ROSMARINKARTOFFELN

KNUSPRIGER FISCH MIT AVOCADO-ZITRONEN-GARNITUR

Lamm mit Senfkruste und Rosmarinkartoffeln

30 g Butter
600 g kleine Frühkartoffeln, in dicke Scheiben geschnitten
125 ml Rinderbrühe
1 EL Rosmarinnadeln
90 g tiefgekühlte Erbsen
350 g Lammfilet ohne Knochen
2 EL grobkörniger Senf
1 EL brauner Zucker

Die Butter in einer beschichteten Pfanne bei mittlerer Temperatur erhitzen. Die Kartoffelscheiben, Brühe und Rosmarin hineingeben und zugedeckt 10 Minuten köcheln lassen. Dann die Erbsen hinzufügen und weitere 3 Minuten köcheln lassen oder so lange, bis die Kartoffeln gar sind. Das Gemüse herausnehmen und warm halten. Die Pfanne auswischen und erneut bei mittlerer bis hoher Temperatur erhitzen. Den Senf und den braunen Zucker mischen, das Lammfilet damit bestreichen und von jeder Seite 4 Minuten braten oder so lange, bis es nach Belieben gegart ist. Das Fleisch in Scheiben schneiden und mit dem Gemüse servieren.
ERGIBT 2 PORTIONEN.

Statt Lammfilet können Sie auch Lammkoteletts oder -schnitzel verwenden. Der braune Zucker sorgt in diesem Rezept ebenso wie bei dem Rote-Bete-Salat für den besonderen Karamelleffekt, der die Aromen sofort intensiviert und einen unwiderstehlichen Glanz auf Fleisch oder Gemüse zaubert.

Knuspriger Fisch mit Avocado-Zitronen-Garnitur

2 festfleischige weiße Fischfilets à 200 g
Meersalz und schwarzer Pfeffer aus der Mühle
Olivenöl zum Frittieren
30 g Butter
1½ EL Kapern, abgespült
Für die Avocado-Zitronen-Garnitur:
1 kleine Avocado, geschält, in kleine Schnitze oder Würfel geschnitten
1 Zitrone, geschält, filetiert
1 TL Zucker
1 große rote Chili, entkernt, in feine Ringe geschnitten
½ Bund Koriander
30 g Rucola

Für die Garnitur Avocado, Zitrone, Zucker, Chili, Korianderblätter, Rucola, Salz und Pfeffer mischen. Für den Fisch eine Pfanne bei hoher Temperatur erhitzen. Die Fischfilets salzen und pfeffern. Das Öl in der Pfanne erhitzen und die Fischfilets von jeder Seite 4 Minuten braten oder so lange, bis der Fisch gar ist. Die Filets auf Teller geben. Die Pfanne auswischen, Butter und Kapern hineingeben und 2 Minuten dünsten, bis die Kapern knusprig sind. Die Garnitur auf den Fischfilets verteilen und die Kapernbutter darüberträufeln. ERGIBT 2 PORTIONEN.

Salat von karamellisiertem Fenchel und Roter Bete

450 g Rote Bete (Randen) aus dem Vakuumbeutel
80 ml Balsamicoessig
55 g brauner Zucker
2 Fenchelknollen (260 g), fein geschnitten
1 Bund glattblättrige Petersilie
150 g Ziegenkäse

Die Roten Beten auf Küchenpapier abtropfen lassen und halbieren. Eine beschichtete Pfanne bei hoher Temperatur erhitzen und darin Balsamicoessig und Zucker 3 Minuten köcheln lassen, bis die Mischung leicht eindickt. Dann die Roten Beten dazugeben und unter Wenden 1–2 Minuten dünsten, bis sie durchgewärmt sind. Fenchel, Petersilie und Ziegenkäse auf die Teller verteilen und die karamellisierten Roten Beten dazu anrichten. ERGIBT 2 PORTIONEN.

SALAT VON KARAMELLISIERTEM FENCHEL UND ROTER BETE

Lammkoteletts mit Pinien-Nuss-Kruste

120 g Pinienkerne
Meersalz und schwarzer Pfeffer aus der Mühle
6 Lammkoteletts à 60 g, pariert
1 EL Olivenöl
30 g Butter
150 g Blattspinat
1 EL gehackter Dill

Die Pinienkerne mit Salz und Pfeffer im Mörser grobkörnig zerstoßen, dann die Lammkoteletts damit panieren. In einer beschichteten Pfanne bei mittlerer Temperatur das Öl erhitzen und die Koteletts darin von jeder Seite 2–3 Minuten braten oder so lange, bis sie nach Belieben durchgegart sind. Die Koteletts auf einer vorgewärmten Platte zugedeckt warm halten. Die Butter in der Pfanne schmelzen und darin Spinat und Dill kurz andünsten. Den Spinat auf die Teller verteilen und darauf die Lammkoteletts anrichten. ERGIBT 2 PORTIONEN.

Pilz-Tarte-tatin

50 g Butter
1 Stange Lauch, geputzt, fein geschnitten
4 große braune Champignons, in dicke Scheiben geschnitten
3 Zweige Thymian
Meersalz und schwarzer Pfeffer aus der Mühle
2 runde Platten fertig gekaufter Blätterteig, falls gefroren aufgetaut, auf 23 cm Durchmesser zurechtgeschnitten
1 Ei, verklopft, zum Bestreichen

Den Ofen auf 180 Grad vorheizen. Die Butter in einer Pfanne (24 cm Durchmesser mit ofenfestem Griff) erhitzen und darin den Lauch 1 Minute andünsten. Den Lauch aus der Pfanne nehmen, die Pilze portionsweise hineingeben und von jeder Seite 2 Minuten anbraten. Alle Pilze und den Lauch zurück in die Pfanne geben und den Thymian hinzufügen. Die beiden Blätterteigplatten auf die Pilzmischung legen. Die Teigoberfläche mit dem verklopften Ei bestreichen und im vor geheizten Ofen 15–20 Minuten backen oder so lange, bis der Blätterteig sich goldbraun färbt und aufgegangen ist. Einen Teller oder ein Kuchengitter auf die Pfanne legen und die Tarte tatin darauf stürzen. ERGIBT 2 PORTIONEN.

Schnelle Lauch-Pilz-Polenta mit Ziegenkäse

125 g Instant-Polenta
75 g Butter
25 g Parmesan, gerieben
1 EL gehackte Salbeiblätter
2 TL Thymianblätter
Meersalz und schwarzer Pfeffer aus der Mühle
1 Stange Lauch, geputzt, fein geschnitten
4 große braune Champignons, in dicke Scheiben geschnitten
60 ml Balsamicoessig
2 TL feiner Zucker
100 g weicher Ziegenkäse

750 ml Wasser in einer Pfanne zum Kochen bringen. Die Polenta hineingeben und unter ständigem Rühren 2–3 Minuten garen, bis eine cremige Masse entstanden ist. Die Hälfte der Butter, Parmesan, Salbei, Thymian, Salz und Pfeffer darunterziehen und die Polenta auf vorgewärmte Teller verteilen. Die restliche Butter erhitzen und den Lauch 2 Minuten andünsten. Die Pilze hinzufügen und weitere 5–7 Minuten dünsten, bis die Pilze sich goldbraun färben. Essig und Zucker darunterrühren, die Lauch-Pilz-Mischung auf die Polenta verteilen und den Ziegenkäse darüberbröckeln. ERGIBT 2 PORTIONEN.

Chinesisches Hühnchen mit Asiagemüse

60 ml trockener Sherry oder Reiswein*
125 ml Sojasauce
1 TL chinesisches Fünf-Gewürze-Pulver*
2 Scheiben Ingwer
250 ml Hühnerbrühe
1 EL brauner Zucker
4 Hühnchenschenkelfilets à 140 g, pariert und halbiert
350 g Gai Larn* (chinesischer Brokkoli), quer gedrittelt
gedämpfter Reis als Beilage

Sherry, Sojasauce, Fünf-Gewürze-Pulver, Ingwerscheiben, Brühe und Zucker in einer beschichteten Pfanne verrühren, bei hoher Temperatur zum Kochen bringen und 8–10 Minuten einkochen lassen. Das Hühnerfleisch hinzufügen und 3 Minuten mitköcheln. Dann das Fleisch wenden, die Gemüsestiele dazugeben und alles zugedeckt weitere 3–5 Minuten köcheln lassen, bis das Fleisch gar ist. Das Hühnerfleisch aus der Pfanne nehmen, nun die Gemüseblätter in die Pfanne geben und noch 1 Minute dünsten. Huhn, Sauce und Gemüse mit Reis servieren. ERGIBT 2 PORTIONEN.

SPINATPOLENTA MIT MINUTEN-STEAKS

HACKFLEISCH–TEIGTÄSCHCHEN MIT CHOI SUM

Spinatpolenta mit Minuten-Steaks

750 ml Wasser
120 g Instant-Polenta
30 g Butter
100 g zarter, junger Blattspinat
25 g Parmesan, gerieben
6 dünn geschnittene Filetsteaks à 65 g
Meersalz und schwarzer Pfeffer aus der Mühle
30 g Butter für das Fleisch
fertig gekauftes Zwiebelchutney zum Servieren

Das Wasser in einer beschichteten Pfanne zum Kochen bringen, die Polenta hinzufügen und bei mittlerer bis hoher Temperatur unter ständigem Rühren 2–3 Minuten garen, bis eine cremige Masse entstanden ist. Butter, Spinat und Parmesan darunterziehen. Die Polenta in vorgewärmte flache Schälchen füllen und warm halten. Die Pfanne reinigen und erneut bei hoher Temperatur erhitzen. Die Steaks pfeffern und salzen. Die Butter in die Pfanne geben und darin die Steaks von jeder Seite 30 Sekunden braten oder so lange, bis das Fleisch schön gebräunt ist. Die Steaks auf der Polenta anrichten und dazu Zwiebelchutney reichen. **ERGIBT 2 PORTIONEN.**

Ich habe immer eine Packung Instant-Polenta in meinem Vorratsschrank. Ich liebe Polenta, weil sie zusammen mit Kurzgebratenem oder Geschmortem im Handumdrehen ein nahrhaftes köstliches Mahl zaubert. Polenta ist so cremig und seidig wie Kartoffelbrei – nur entfällt dabei das lästige Kartoffelschälen, das Zerkleinern, Abkochen und Zerstampfen. Polenta nimmt problemlos andere Aromen an. Verfeinern Sie sie daher nach persönlichem Gusto, indem Sie Kräuter oder Käse hinzufügen.

Hackfleisch-Teigtäschchen mit Choi Sum

240 g Schweinehackfleisch
1 EL Hoisinsauce*
2 TL fein geriebener Ingwer
2 Frühlingszwiebeln, fein geschnitten
12 runde Wantan-Teigblätter*
2 TL Pflanzenöl
125 ml Hühnerbrühe
350 g Choi Sum*
2 EL Sojasauce zum Servieren

Das Hackfleisch mit Hoisinsauce, Ingwer und Frühlingszwiebeln gut vermischen und auf jedes Wantan-Teigblatt einen Klecks davon setzen. Die Teigränder mit Wasser bestreichen, zur Hälfte zusammenklappen und die Ränder gut festdrücken. Eine beschichtete Pfanne bei mittlerer bis hoher Temperatur erhitzen, das Öl hineingeben und darin die Teigtäschchen 2 Minuten braten, bis sie sich zu bräunen beginnen. Dann die Brühe und das Choi-Sum-Gemüse hinzufügen und alles zugedeckt noch 6–8 Minuten in der Brühe garen. Vor dem Servieren mit Sojasauce beträufeln. **ERGIBT 2 PORTIONEN.**

Szechuan-Rind mit Ingwergemüse

1 EL Szechuanpfefferkörner*
1 EL grobes Meersalz
400 g Rinderfilet
1 EL Pflanzenöl
2 TL Sesamöl
1 EL geriebener Ingwer
350 g junger Pak Choi*
je 2 EL Sojasauce und Austernsauce*
1 EL Zucker und 1 EL Wasser

Eine beschichtete Pfanne bei hoher Temperatur erhitzen und darin Szechuanpfeffer und Salz 2–3 Minuten rösten, bis der Pfeffer aromatisch duftet. Die Pfeffer-Salz-Mischung im Mörser fein zerstoßen und das Rindfleisch damit einreiben. Das Öl in der Pfanne erhitzen und das Fleisch darin von jeder Seite 3–4 Minuten anbraten oder so lange, bis es nach Belieben durchgegart ist. Das Fleisch herausnehmen und zugedeckt warm halten. Nun das Sesamöl und den Ingwer in derselben Pfanne 1 Minute andünsten. Dann den Pak Choi dazugeben und 1 weitere Minute dünsten. Sojasauce, Austernsauce, Zucker und Wasser verrühren, in die Pfanne geben und weitere 2–3 Minuten schmoren oder so lange, bis der Pak Choi zart ist. Das Gemüse auf die Teller verteilen. Das Rinderfilet in Scheiben schneiden und auf dem Gemüse anrichten. **ERGIBT 2 PORTIONEN.**

SZECHUAN-RIND MIT INGWERGEMÜSE

Kartoffel-Lachs-Frittata

120 g Sauerrahm
1 EL Zitronensaft
500 g Kartoffeln, geschält und gewürfelt
30 g Butter
60 ml Wasser
4 Eier
180 ml Rahm
2 EL gehackter Dill
1 TL fein abgeriebene Zitronenschale
Meersalz und schwarzer Pfeffer aus der Mühle
175 Räucherlachsfilet, grob zerpflückt

Sauerrahm und Zitronensaft verrühren und zugedeckt kalt stellen. Die Kartoffelwürfel mit Butter und Wasser in einer ofenfesten Pfanne bei mittlerer Temperatur erhitzen und zugedeckt 15 Minuten köcheln lassen, bis sie gar sind und die Flüssigkeit verdampft ist. Eier, Rahm, Dill, Zitronenschale, Salz und Pfeffer verrühren, die Mischung über die gegarten Kartoffeln gießen, gut durchrühren und den Räucherlachs darauf verteilen. Die Masse bei niedriger Temperatur 5–8 Minuten stocken lassen, dann 5–8 Minuten unter den vorgeheizten Backofengrill bräunen. Mit dem Zitronen-Sauerrahm servieren. ERGIBT 2 PORTIONEN.

Ricotta-Basilikum-Huhn mit Schmortomaten

100 g Ricotta*
1 EL grob gehackter Basilikum
1 EL geriebener Parmesan
2 Hühnerbrustfilets à 200 g, mit Haut
Meersalz und schwarzer Pfeffer aus der Mühle
1 EL Olivenöl
250 g Kirschtomaten, halbiert
Basilikumblätter zum Garnieren

Den Ofen auf 160 Grad vorheizen. Ricotta, Basilikum und Parmesan vermischen. Vorsichtig die Haut von den Hühnerbrustfilets lösen, dabei an den Enden nicht ablösen, und die Ricottamasse zwischen Haut und Fleisch verteilen. Das Fleisch salzen und pfeffern. Eine ofenfeste Pfanne bei mittlerer bis hoher Temperatur erhitzen, das Öl hineingeben und die Hühnerbrustfilets von jeder Seite 2 Minuten braten oder so lange, bis sie sich goldbraun färben. Die halbierten Kirschtomaten dazugeben und die Pfanne für 10 Minuten in den vorgeheizten Ofen schieben oder so lange, bis das Fleisch durchgegart ist. Auf Tellern anrichten und mit Basilikumblättern garnieren.
ERGIBT 2 PORTIONEN.

Mozzarella-Kalbfleisch-Türmchen

4 dünne Kalbsschnitzel à 60 g
40 g Butter
1 Knoblauchzehe, gepresst
1 TL Zitronenzesten
1 EL Zitronensaft
2 Tomaten, in dicke Scheiben geschnitten
4 Scheiben Rohschinken (Parmaschinken*)
1 Büffelmozzarella, in 4 Stücke gerissen
30 g Rucola
einige Zweige Basilikum

Eine große beschichtete ofenfeste Pfanne bei hoher Temperatur erhitzen. Darin die Kalbsschnitzel von jeder Seite 30 Sekunden anbraten oder so lange, bis sie nach Belieben gegart sind. Das Fleisch herausnehmen und warm halten. Butter, Knoblauch, Zitronenzesten und Zitronensaft in die Pfanne geben und unter Rühren die Butter schmelzen und den Knoblauch leicht anbräunen. Auf den Tellern die Kalbsschnitzel abwechselnd mit Tomatenscheiben, Schinken, Mozzarella, Rucola und Basilikumblättern aufschichten und alles mit der Knoblauchbutter beträufeln. ERGIBT 2 PORTIONEN.

Hühnerfrikadellen mit Basilikum und Cashews

350 g gehacktes Hühnerfleisch
1 EL fertig gekaufte oder selbstgemachte Chili-Marinade* (siehe Seite 58)
4 Kaffirlimettenblätter*, grob gehackt
1 Eiweiß
1 EL Pflanzenöl
100 g Zuckerschoten (Kefen), geputzt, fein geschnitten
40 g Basilikumblätter
2 EL ungesalzene geröstete Cashewkerne, grob gehackt

Das Hackfleisch mit Chili-Marinade, Kaffirlimettenblättern und dem Eiweiß gut vermischen und daraus vier kleine Frikadellen formen. Eine Pfanne bei mittlerer bis hoher Temperatur erhitzen, das Öl hineingeben und die Frikadellen darin von jeder Seite 3–4 Minuten braten oder so lange, bis das Fleisch gebräunt und durchgegart ist. Die Zuckerschoten zum Fleisch in die Pfanne geben, 1 Minute andünsten, dann die Basilikumblätter darunterheben. Die Frikadellen und das Gemüse auf die Teller verteilen und mit den gehackten Cashewkernen bestreuen.
ERGIBT 2 PORTIONEN.

PIKANTES HÜHNER-CHORIZO-COUSCOUS

HOISIN-INGWER-RIPPCHEN

Pikantes Hühner-Chorizo-Couscous

1 Zwiebel, grob gehackt
2 Hühnerbrustfilets à 200 g, in Streifen geschnitten
1 Chorizo-Würstchen* à 150 g, in Scheiben geschnitten
½ TL Chiliflocken
2 Knoblauchzehen, in Scheiben geschnitten
200 g Instant-Couscous*
250 ml Hühnerbrühe
125 ml Wasser
100 g zarter, junger Blattspinat
150 g schwarze Oliven, entsteint

In einer beschichteten Pfanne bei mittlerer bis hoher Temperatur Zwiebel, Hühnerfleisch, Chorizo, Chiliflocken und Knoblauch 5–6 Minuten braten oder so lange, bis sich das Hühnerfleisch goldbraun färbt. Dann Couscous, Brühe und Wasser zum Fleisch in die Pfanne geben und zugedeckt bei niedriger Temperatur 2 Minuten leise köcheln lassen, bis das Couscous weich ist. Vor dem Servieren den Spinat und die Oliven darunterheben. ERGIBT 2 PORTIONEN.

Couscous ist eine der Zutaten, die in keiner gut sortierten Speisekammer fehlen darf. Es ist eine Beilage, die sich vielfältig abwandeln und kombinieren lässt, und sich auch hervorragend zum Andicken von Suppen und Eintöpfen eignet. Außerdem ist Couscous die Basis unterschiedlichster Füllungen und Salate. Ich mag die Instant-Variante, weil sie sich am schnellsten und einfachsten zubereiten lässt. Mit Hühnchen oder in Gemüsebrühe gegart, erhält man ein intensiveres Aroma als mit Wasser.

Hoisin-Ingwer-Rippchen

6 Spare-Ribs vom Schwein
1 Zimtstange
1 Sternanis*
3 Scheiben Ingwer
Für die Hoisin-Ingwer-Marinade:
80 ml Hoisinsauce*
2 EL Sojasauce
2 TL geriebener Ingwer
½ TL chinesisches Fünf-Gewürze-Pulver*
1 EL brauner Zucker

Die Rippchen in eine beschichtete ofenfeste Pfanne legen. Zimtstange, Sternanis, Ingwerscheiben und so viel Wasser dazugeben, dass die Rippchen bedeckt sind. Bei mittlerer Temperatur 20 Minuten ganz leise köcheln lassen (darf nicht zum Kochen kommen). Dann vom Herd nehmen und noch 10 Minuten ziehen lassen. Den Ofen auf 200 Grad vorheizen. Für die Marinade Hoisinsauce, Sojasauce, Ingwer, Fünf-Gewürze-Pulver und Zucker verrühren. Die Rippchen abgießen (der Sud und die Gewürze werden nicht mehr benötigt) und mit Küchenpapier trockentupfen. Die Pfanne auswischen, die Rippchen zurück in die Pfanne geben und mit der Marinade bestreichen. Im vorgeheizten Ofen 35 Minuten backen, bis die Rippchen knusprig sind und appetitlich glänzen. ERGIBT 2 PORTIONEN.

Schweinekoteletts mit Apfelweinglasur

4 Schweinekoteletts à 150 g, pariert
Meersalz und schwarzer Pfeffer aus der Mühle
1 EL Pflanzenöl
1 Knoblauchzehe, gepresst
einige Zweige Salbei
250 ml Apfelwein
80 g Rote-Johannisbeeren-Gelee
2 EL Rotweinessig
150 g grüne Bohnen, geputzt

Die Koteletts salzen und pfeffern. Eine beschichtete Pfanne bei mittlerer Temperatur erhitzen, das Öl hineingeben und darin die Koteletts von jeder Seite 2 Minuten braten. Das Fleisch aus der Pfanne nehmen und beiseite stellen. Knoblauch, Salbei, Apfelwein, Gelee und Essig in die Pfanne geben und die Mischung unter gelegentlichem Rühren auf die Hälfte einkochen. Die Koteletts zurück in die Pfanne geben, die Bohnen hinzufügen und alles weitere 5 Minuten schmoren oder so lange, bis das Fleisch durchgegart ist. ERGIBT 2 PORTIONEN.

SCHWEINEKOTELETTS MIT APFELWEINGLASUR

Lachsküchlein mit Zitronengras

2 Lachsfilets à 180 g, in 1 cm große Würfel geschnitten
1 EL Reismehl*
1 Eiweiß
1 TL fein abgeriebene Limettenschale
1 Stängel Zitronengras*, fein gehackt
3 Kaffirlimettenblätter*, grob gehackt
1 große rote Chili, entkernt, fein gehackt
Meersalz und schwarzer Pfeffer aus der Mühle
Pflanzenöl zum Frittieren
Für die Wasabimayonnaise:
125 ml Mayonnaise
1½ TL Wasabipaste*
1 TL Limettensaft

Die Zutaten zur Wasabimayonnaise verrühren. Die Lachswürfel mit Reismehl, Eiweiß, Limettenschale, Zitronengras, Limettenblättern, Chili, Salz und Pfeffer vermischen und aus dem Teig vier Frikadellen formen. Eine Pfanne bei mittlerer Temperatur erhitzen, ausreichend Öl hineingeben, heiß werden lassen und darin die Lachsküchlein von jeder Seite 4 Minuten braten oder so lange, bis sie durchgegart sind. Mit der Wasabimayonnaise servieren. ERGIBT 2 PORTIONEN.

Pochiertes Koriander-Kokos-Huhn

2 Hühnerbrustfilets à 200 g, längs halbiert
6 dünne Scheiben geschälter Kürbis (420 g)
250 ml Kokosmilch
4 Kaffirlimettenblätter*
1 große rote Chili, längs halbiert
3 Scheiben Ingwer
1 EL Fischsauce*
150 g Zuckerschoten (Kefen), geputzt
Koriandergrün, gedämpfter Reis und Limettenhälften zum Servieren

Eine beschichtete Pfanne bei mittlerer bis hoher Temperatur erhitzen. Darin die Hühnerbrustfilets von jeder Seite 1 Minute braten oder so lange, bis sich das Fleisch leicht goldbraun färbt. Dann die Kürbisscheiben, Kokosmilch, Limettenblätter, Chili, Ingwer und Fischsauce dazugeben und alles 8–10 Minuten leise köcheln lassen, bis der Kürbis weich ist. Die Zuckerschoten dazugeben und 1 weitere Minute mitgaren. Mit Koriandergrün bestreut servieren. Dazu gedämpften Reis und Limettenhälften reichen. ERGIBT 2 PORTIONEN.

Thailändischer Hühnchen-Ingwer-Salat

2 EL Pflanzenöl
350 g gehacktes Hühnerfleisch
½ TL Chiliflocken
4 Kaffirlimettenblätter*, grob gehackt
2 EL Limettensaft
2 EL Fischsauce*
1 EL brauner Zucker
40 g Minzeblätter
2 EL Pflanzenöl für den Ingwer
2 EL feine lange Ingwerstreifen
Salatblätter und Limettenscheiben zum Servieren

Eine beschichtete Pfanne bei mittlerer bis hoher Temperatur erhitzen. Das Öl hineingeben und darin das Hackfleisch und die Chiliflocken 5 Minuten anbraten. Dann Limettenblätter und Limettensaft, Fischsauce und Zucker dazugeben und unter Rühren 1 Minute mitschmoren. Die Pfanne vom Herd nehmen, die Minze darunterheben und alles auf die Teller verteilen. Die Pfanne auswischen, zurück auf den Herd stellen und bei hoher Temperatur in dem zusätzlichen Öl den Ingwer knusprig braten. Auf Küchenpapier abtropfen lassen und auf dem Hühnerfleisch verteilen. ERGIBT 2 PORTIONEN.

Lachs mit Wasabi und Erbsenpüree

2 Lachsfilets à 200 g
2 TL Wasabipaste*
2 Blätter Nori*
Olivenöl zum Bestreichen
240 g tiefgekühlte Erbsen
40 g Butter
Meersalz und schwarzer Pfeffer aus der Mühle
1 Frühlingszwiebel, fein geschnitten
Koriandergrün zum Servieren

Die Lachsfilets mit der Wasabipaste bestreichen, in die Noriblätter einwickeln, die Kanten abschneiden und die Päckchen mit Olivenöl bestreichen. Den Lachs in einer beschichteten Pfanne bei mittlerer bis hoher Temperatur von jeder Seite 4–5 Minuten braten oder so lange, bis er nach Belieben durchgegart ist.
Die Erbsen mit kochendem Wasser übergießen, 3 Minuten gar ziehen lassen, dann abgießen. Die Butter dazugeben und die Erbsen mit einem Kartoffelstampfer oder mit dem Pürierstab pürieren, mit Salz und Pfeffer abschmecken, die Frühlingszwiebel darunterheben. Das Erbsenpüree auf die Teller verteilen, darauf die Lachspäckchen anrichten und mit Koriandergrün garniert servieren. ERGIBT 2 PORTIONEN.

BALSAMICO-HÜHNCHEN MIT TOMATEN UND MOZZARELLA

PIKANTE BAKED BEANS

Balsamico-Hühnchen mit Tomaten und Mozzarella

125 ml Balsamicoessig
1 EL Oreganoblätter
2 EL brauner Zucker
½ TL grob zerstoßener schwarzer Pfeffer
2 Hühnerbrustfilets à 200 g, längs halbiert
1 Tomate, in Scheiben geschnitten
1 große Kugel Mozzarella, halbiert
einige Zweige Basilikum
Olivenöl zum Beträufeln

Den Balsamicoessig mit Oregano, Zucker und Pfeffer in einer beschichteten Pfanne bei mittlerer Hitze 3–4 Minuten dünsten, bis der Essig leicht eingedickt ist. Die Hühnerfilets dazugeben und von jeder Seite 3 Minuten garen oder so lange, bis das Fleisch durchgegart ist. Das Fleisch auf die Teller verteilen, die Tomatenscheiben, die Mozzarellahälften und einige Basilikumblätter darauf anrichten und alles mit Olivenöl beträufeln. **ERGIBT 2 PORTIONEN.**

Dieses Rezept begleitet mich schon während meiner ganzen Karriere, seit ich es zum ersten Mal in einer meiner frühesten Kochkolumnen in einer Modezeitschrift veröffentlicht habe. Es spricht für sich, dass es mir nach all den Jahren immer noch in den Sinn kommt, wenn ich ein besonderes und besonders schnelles Essen brauche. Diesmal habe ich die Zutaten etwas abgewandelt. Mit von der Partie ist hier köstlicher frischer Mozzarella – doch nach wie vor ist es ein Gericht, das im Handumdrehen ein herrlich intensives Aroma auf den Teller zaubert!

Pikante Baked Beans

1 Zwiebel, gehackt
2 Chorizo-Würstchen* à 150 g, in Stücke geschnitten
400 g weiße Bohnen aus der Dose, abgespült und abgetropft
400 ml passierte Tomaten
125 ml Rinderbrühe
½ TL geräuchertes süßes Paprikapulver
1 Bund glattblättrige Petersilie
schwarzer Pfeffer aus der Mühle
gebutterter Toast zum Servieren

Eine Pfanne bei hoher Temperatur erhitzen. Die Zwiebel und die Würstchen darin 5 Minuten anbraten, bis sich alles goldbraun färbt. Bohnen, passierte Tomaten, Brühe und Paprikapulver hinzufügen und alles weitere 7–8 Minuten köcheln lassen. Dann die abgezupfte Petersilie darunterheben, mit Pfeffer abschmecken und mit gebuttertem Toast servieren. **ERGIBT 2 PORTIONEN.**

Pikanter Fisch mit Sesam-Ingwer-Nudeln

1 TL Sesamöl
1 EL Sesamkörner
1 EL geriebener Ingwer
3 Frühlingszwiebeln, fein geschnitten
1 EL Fischsauce*
100 g getrocknete Reisnudeln
2 TL rote Thai-Currypaste*
1 EL Olivenöl
2 festfleischige weiße Fischfilets à 200 g
einige Zweige Koriander
einige Zweige Minze

In einer beschichteten Pfanne bei niedriger Temperatur Sesamöl, Sesamkörner, Ingwer, Zwiebel und Fischsauce 2–3 Minuten dünsten. Die Sesammischung aus der Pfanne nehmen und die Pfanne auswischen. Die Nudeln in einer Schüssel mit kochendem Wasser übergießen und 10 Minuten gar ziehen lassen, bis sie weich sind. Die Currypaste mit dem Öl vermischen und damit die Fischfilets bestreichen. Die Pfanne bei niedriger Temperatur erhitzen und darin den Fisch von jeder Seite 5 Minuten braten oder so lange, bis er durchgegart ist. Die Nudeln abgießen, die Sesammischung darunterheben und auf die Teller verteilen. Darauf den Fisch anrichten und mit Koriander und Minze garniert servieren. **ERGIBT 2 PORTIONEN.**

PIKANTER FISCH MIT SESAM-INGWER-NUDELN

Geschmortes Huhn nach Bauernart

2 EL Olivenöl
1 Stange Lauch, geputzt, in Ringe geschnitten
2 Knoblauchzehen, in Scheiben geschnitten
4 Scheiben Speck (Pancetta*), klein geschnitten
4 Hühnerschenkelfilets à 140 g, halbiert
Mehl zum Bestäuben
200 g Champignons oder Egerlinge
4 Baby-Kartoffeln, geviertelt
125 ml trockener Weißwein
250 ml Hühnerbrühe
3 Zweige Thymian und 1 Zweig Estragon
125 ml Rahm
Meersalz und schwarzer Pfeffer aus der Mühle

Eine Pfanne erhitzen. Das Öl hineingeben und darin Lauch und Speck 1 Minute anbraten. Das Hühnerfleisch mit Mehl bestäuben und von jeder Seite 2–3 Minuten braten, bis sich das Fleisch goldbraun färbt. Dann die Pilze dazugeben und 2 Minuten mitschmoren, anschließend Kartoffeln, Wein, Brühe, Thymian und Estragon hinzufügen, die Temperatur reduzieren und alles zugedeckt 25–30 Minuten leise köcheln lassen. Den Rahm darunterrühren abschmecken. ERGIBT 2 PORTIONEN.

Cremiges Rührei mit Spinat und Speck

4 Scheiben Speck (Pancetta*), grob zerkleinert
100 g zarter, junger Blattspinat
4 Eier
80 ml Rahm
Meersalz und schwarzer Pfeffer aus der Mühle
30 g Butter
1 TL fein abgeriebene Zitronenschale
geriebener Parmesan und geröstetes Weißbrot zum Servieren

Eine beschichtete Pfanne bei mittlerer bis hoher Temperatur erhitzen. Den Speck darin 3 Minuten anbraten, dann den Spinat hinzufügen und 1–2 Minuten mitdünsten, bis er zusammenfällt. Die Spinat-Speck-Mischung aus der Pfanne nehmen und beiseite stellen. Die Pfanne auswischen und zurück auf den Herd stellen. Die Eier mit Rahm, Salz und Pfeffer verklopfen. Die Butter in der Pfanne schmelzen, die Eimischung dazugeben, in der Pfanne schwenken und stocken lassen. Die Spinatmischung darunterheben. Vor dem Servieren Zitronenschale und Parmesan darübergeben. Dazu geröstetes Weißbrot reichen.
ERGIBT 2 PORTIONEN.

Frittata mit Spinat und Speck

4 Scheiben Frühstücksspeck, grob gewürfelt
100 g zarter, junger Blattspinat
4 Eier
125 ml Milch
125 ml Rahm
Meersalz und schwarzer Pfeffer aus der Mühle
180 g Ricotta*
geröstetes Weißbrot zum Servieren

Eine kleine beschichtete ofenfeste Pfanne bei mittlerer bis hoher Temperatur erhitzen, darin den Speck 4 Minuten braten, bis er leicht gebräunt ist. Den Spinat hinzufügen und 1–2 Minuten mitdünsten, bis er zusammenfällt. Die Eier mit Rahm, Milch, Salz und Pfeffer verrühren, die Mischung in die Pfanne geben und gut durchrühren, damit sich Spinat und Speck gleichmäßig verteilen. Den Ricotta in großzügigen Klecksen auf die Frittata geben und alles zugedeckt bei niedriger Temperatur 5–8 Minuten garen, bis die Frittata außen gestockt ist. Dann die Pfanne unter den vorgeheizten Backofengrill schieben und weitere 5–8 Minuten garen, bis die Frittata auch innen fest ist und die Oberfläche sich goldbraun färbt. In Stücke aufschneiden und mit geröstetem Weißbrot servieren. ERGIBT 2 PORTIONEN.

Schweinefilet mit Fenchelkruste

2 TL Fenchelsamen
1 TL grobes Meersalz
¼ TL grob zerstoßener Pfeffer
2 TL grob gehackte Rosmarinnadeln
375 g Schweinefilet, pariert
2 TL Olivenöl
30 g Butter
1 EL Weißweinessig
2 TL brauner Zucker
400 g Weißkohl, fein geschnitten
1 grüner Apfel, gerieben

Fenchelsamen, Salz, Pfeffer und Rosmarin grob zerstoßen und mit dieser Mischung das Schweinefilet bestreuen. Eine beschichtete Pfanne erhitzen, das Öl hineingeben und darin das Filet von jeder Seite 4 Minuten braten oder so lange, bis es nach Belieben durchgegart ist. Das Fleisch aus der Pfanne nehmen und warm halten. Die Pfanne auswischen, Butter, Essig und Zucker darin erwärmen, bis sich der Zucker aufgelöst hat. Weißkohl und Apfel hinzufügen und unter Rühren schmoren, bis der Kohl weich ist. Das aufgeschnittene Schweinefilet auf dem Gemüse anrichten. ERGIBT 2 PORTIONEN.

TURBO REZEPTE 3

Salate

Mit der richtigen Begleitung kann man einer Mahlzeit ein Glanzlicht aufsetzen. Erst ein perfekt komponierter Salat macht einen klassischen Braten oder ein kurzgebratenes Stück Fleisch zum wahren Gaumenschmaus. Wichtig: Verwenden Sie dafür nur die frischesten Zutaten!

Zucchinisalat mit Minze und karamellisierter Zitrone

RECHTS: 4 Zucchini mit dem Sparschäler oder Gemüsehobel längs in sehr feine Scheiben schneiden, mit 1 Bund grob gehackten Minzeblättern vermischen. 1 EL Olivenöl darüberträufeln, salzen und pfeffern. 1 Zitrone halbieren und mit der Schnittseite nach unten in einer beschichteten heißen Pfanne goldbraun braten. Den Saft der karamellisierten Zitrone über dem Salat ausdrücken, mit gehobeltem Parmesan garnieren.

ERGIBT 4 PORTIONEN.

Rucola-Feigen-Salat mit Schinken

UNTEN: 4 Scheiben Rohschinken auf ein Brett legen, auf jede Scheibe ein kleines Bündel Rucola, eine halbierte Feige und eine Scheibe Mozzarella setzen. Mit Balsamicoessig und Olivenöl beträufeln, salzen und pfeffern. Dann den Schinken um die Füllung herum einrollen.

ERGIBT 4 PORTIONEN.

Das richtige Dressing macht's aus! Karamellisierte Zitrone rückt schlichte Zucchini ins Rampenlicht, während die klassische Tomaten-Basilikum-Kombination sich auch ganz anders präsentieren kann.

Basilikumtomaten

OBEN: 4 Ochsenherztomaten* kreuzförmig tief einschneiden und in jeden Einschnitt 2 Basilikumzweige stecken, salzen und pfeffern. 80 ml Olivenöl mit 1 Bund Basilikumblätter bei niedriger Temperatur 5 Minuten anwärmen, 15 Minuten beiseite stellen und anschließend das Öl abseihen. 40 g blanchierte Basilikumblätter mit 1½ EL Olivenöl im Mixer zu einer Paste verarbeiten, diese mit dem Basilikumöl verrühren und über die Tomaten träufeln.

ERGIBT 4 PORTIONEN.

Zuckerschotensalat

LINKS: 250 g Zuckerschoten (Kefen) in kochendem Wasser 1 Minute blanchieren, abgießen und eiskalt abschrecken. In einer Schüssel mit 30 g Zuckerschotensprossen und 1 fein gehackten großen roten Chili vermischen. 2 EL Sojasauce, 1 EL Zitronensaft und 2 EL braunen Zucker verrühren, über den Salat geben und servieren. **ERGIBT 4 PORTIONEN.**

Spinat mit Miso-Sesam-Dressing

RECHTS: 2 EL weiße Misopaste* mit ½ TL Sesamöl, 2 TL braunem Zucker, 60 ml Wasser, 1 EL gerösteten Sesamkörnern und 1 fein geschnittenen Frühlingszwiebel verrühren. Das Dressing unter 150 g zarten, jungen Blattspinat oder knackigen Blattsalat heben. Das Dressing passt auch gut zu gegrilltem Huhn, Tofu, Gemüse oder Meeresfrüchten. ERGIBT 4 PORTIONEN.

Couscoussalat mit Minze und Avocado

UNTEN: 200 g Couscous* in einer Schüssel mit 300 ml heißer Hühnerbrühe übergießen, 30 g Butter dazugeben und zugedeckt 5 Minuten gar ziehen lassen, bis die Brühe aufgesogen ist. 1 Bund Minzeblätter, 1 geschälte geviertelte Avocado und 2 EL leicht geröstete Pinienkerne darunterheben. 1 EL Honig mit 2 EL Zitronensaft, Meersalz und Pfeffer verrühren und über den Salat geben. ERGIBT 4 PORTIONEN.

Die Kombination der Zutaten macht einen einfachen Salat zu etwas Außergewöhnlichem. In einer gelungenen Komposition verbinden sich unterschiedliche Texturen und Aromen zu einem echten Traumpaar.

Risonisalat mit Kräutern

OBEN: 220 g Risoni* in gesalzenem Wasser bissfest kochen, abgießen, unter kaltem Wasser abschrecken, abtropfen lassen. Die gegarten Risoni mit 2 EL Olivenöl, 1 EL Zitronensaft, 1 Bund grob gehackter Petersilie, 1 Bund grob gehackter Minze, 1 EL gehacktem Dill, Salz und Pfeffer vermischen. Passt zu gebratenem oder gegrilltem Fleisch, Fisch oder Huhn. ERGIBT 4 PORTIONEN.

Pikanter Kichererbsen-Karotten-Salat

LINKS: In einer kleinen Pfanne bei mittlerer Temperatur 2 EL Olivenöl erhitzen. Darin 2 durchgepresste Knoblauchzehen, 1 TL gemahlenen Kreuzkümmel, 1 TL Korianderpulver und 1 TL geräuchertes Paprikapulver 1 Minute dünsten. 400 g Kichererbsen aus der Dose abspülen und abtropfen lassen und die Gewürzmischung darunterrühren. 2 grob geraspelte Karotten, 1 EL Weißweinessig und 1 EL Honig unter die Kichererbsen heben. ERGIBT 4 PORTIONEN.

Eisbergsalat mit Buttermilchdressing

RECHTS: 80 ml Buttermilch mit 100 g Naturjoghurt, 1 durchgepressten Knoblauchzehe, 2 EL fein gehacktem Schnittlauch, Salz und Pfeffer verrühren. Das Dressing unmittelbar vor dem Servieren über einen in Spalten geschnittenen Eisbergsalat oder andere knackige Blattsalate geben. Dieses Dressing passt auch zu Coleslaw (Krautsalat). **ERGIBT 4 PORTIONEN.**

Petersilien-Fenchel-Salat mit Feta

UNTEN: 2 geputzte Fenchelknollen fein aufschneiden und auf eine Servierplatte verteilen. 2 EL Apfelessig mit 2 EL Olivenöl, Meersalz und schwarzem Pfeffer aus der Mühle verrühren und das Dressing über den Fenchel geben. Dann 30 g glattblättrige Petersilie darauf verteilen und mit Fetakäse garniert servieren. **ERGIBT 4 PORTIONEN.**

Die Verbindung von knackigen Blattsalaten mit einem cremigen Dressing oder zerbröseltem Käse ist einfach unwiderstehlich. Auch die Sesampaste Tahini gibt Blattsalaten oder Rohkost eine ganz neue Note.

Marinierter Selleriesalat mit Ziegenkäse

OBEN: 6 Stangen Sellerie mit einem Sparschäler oder Gemüsehobel in hauchdünne, lange Streifen schneiden, mit 60 ml Zitronensaft und 2 EL grob gehacktem Dill mischen und 10 Minuten durchziehen lassen. Mit Olivenöl beträufeln, salzen und pfeffern. In Scheiben geschnittenen festen Ziegenkäse auf dem Salat anrichten. **ERGIBT 4 PORTIONEN.**

Gurkensalat mit Tahini-Dressing

LINKS: 2 in dünne Scheiben geschnittene kleine Salatgurken, 60 g zarter, junger Blattspinat und 2 EL grob gehackte Minzeblätter in Schälchen verteilen. 70 g Tahini*, 60 ml Wasser, 60 ml Zitronensaft, 1 durchgepresste Knoblauchzehe, Meersalz und schwarzen Pfeffer aus der Mühle zu einem Dressing verrühren und vor dem Servieren über den Gurkensalat geben. **ERGIBT 4 PORTIONEN.**

AUS EINEM TOPF

Kochen ist nach einem langen Tag eine herrliche Entspannung – doch leider wartet danach in der Küche meist ein ganzer Berg Abwasch. Die Lösung sind die folgenden Rezepte, für die Sie immer nur einen Topf brauchen: Herzhafte Gerichte, die sich im Handumdrehen zubereiten lassen und nur ein Minimum an Kochutensilien benötigen.

SPAGHETTI MIT KIRSCHTOMATEN

KARTOFFEL-STEINPILZ-SUPPE

Spaghetti mit Kirschtomaten

200 g Spaghetti
Olivenöl zum Beträufeln
30 g Butter
2 Knoblauchzehen, gepresst
2 EL Balsamicoessig
500 g Kirschtomaten
2 Bund Basilikum, grob gezupft
geriebener Parmesan zum Servieren

Die Spaghetti in einem großen Topf in Salzwasser 10–12 Minuten bissfest garen. Abgießen, abtropfen lassen, mit etwas Olivenöl beträufeln und warm halten. Den Topf zurück auf den Herd stellen und darin Butter, Knoblauch, Essig und Tomaten 4 Minuten andünsten, bis die Tomaten durch und durch warm sind und weich werden. Die Spaghetti zu den Tomaten in den Topf geben und das Basilikum darunterheben. Mit Parmesan bestreut servieren.
ERGIBT 2 PORTIONEN.

Von Kirsch- und Datteltomaten gibt es im Handel inzwischen eine Vielfalt an Sorten, darunter auch spezielle Züchtungen, die ein besonders intensives, süßes Aroma haben. Indem Sie die Samenkörner aus den Kirschtomaten herausdrücken, entfernen Sie auch den wässrigen Saft und das manchmal leicht bittere Aroma der Samen. Zurück bleibt ein herrlich frischer, süßer Geschmack.

Kartoffel-Steinpilz-Suppe

25 g getrocknete Steinpilze*
375 ml kochendes Wasser
1 EL Olivenöl
1 Stange Lauch, fein geschnitten
3 Thymianzweige
750 g mehlige Kartoffeln, geschält und zerkleinert
1 l Hühnerbrühe
60 ml Rahm
Meersalz und schwarzer Pfeffer aus der Mühle
geriebener Parmesan und knuspriges Brot zum Servieren

Die getrockneten Steinpilze in einer Schüssel mit dem kochenden Wasser übergießen und 10 Minuten ziehen lassen. Dann abgießen und 250 ml des Pilzsuds auffangen. Die Steinpilze fein schneiden. In einem Topf bei mittlerer Temperatur das Öl erhitzen und darin Lauch und Thymianzweige 5 Minuten andünsten, bis sich der Lauch goldbraun färbt. Dann die Temperatur erhöhen, Steinpilze, Kartoffeln, Brühe und den Pilzsud hinzufügen und 30–35 Minuten kochen, bis die Kartoffeln zu zerfallen beginnen und die Suppe allmählich eindickt. Die Thymianzweige entfernen, den Rahm einrühren, salzen und pfeffern. Die Suppe nach Wunsch mit Parmesan bestreuen und dazu ein knuspriges Brot servieren.
ERGIBT 2 PORTIONEN.

Pappardelle Carbonara

200 g Pappardelle oder andere Bandnudeln
2 Eigelb
180 ml Rahm
25 g Parmesan, gerieben
grob zerstoßener schwarzer Pfeffer
4 Scheiben Parmaschinken* oder anderer Rohschinken, in Streifen
geriebener Parmesan zum Servieren

Die Pappardelle in Salzwasser 10–12 Minuten bissfest kochen, abgießen, abtropfen lassen und zurück in den Topf geben. Eigelbe, Rahm, geriebenen Parmesan und Pfeffer verrühren, über die Teigwaren gießen, den Topf zurück auf den Herd stellen und unter Rühren 1–2 Minuten erhitzen, bis die Eimischung leicht eindickt. Die Pasta auf die Teller verteilen, den Rohschinken darauf anrichten und mit Parmesan bestreut servieren.
ERGIBT 2 PORTIONEN.

PAPPARDELLE CARBONARA

Chinesischer Hühnereintopf

650 ml Hühnerbrühe
3 Scheiben Ingwer
3 Knoblauchzehen, grob zerquetscht
250 g Jasmin- oder Duftreis
3 Hühnerschenkelfilets à 140 g, halbiert
100 g Zuckerschoten (Kefen), geputzt
Sojasauce zum Servieren
Für das Frühlingszwiebeldressing:
1 Frühlingszwiebel, geputzt, fein geschnitten
1 EL fein geriebener Ingwer
2 EL Pflanzenöl
2 EL gehackter Koriander
½ TL grobes Meersalz

Für das Dressing alle Zutaten verrühren und beiseite stellen. Die Brühe mit Ingwer und Knoblauch in einem Topf zum Kochen bringen. Den Reis hinzufügen und aufkochen. Dann das Hühnerfleisch auf den Reis legen und alles zugedeckt 10 Minuten bei niedriger Temperatur garen lassen. Den Topf vom Herd nehmen, die Zuckerschoten hinzufügen und 5 Minuten durchziehen lassen. Zuletzt das Dressing und etwas Sojasauce über den Eintopf träufeln und servieren. ERGIBT 2 PORTIONEN.

Rotes Schweinefleischcurry mit Süßkartoffeln

1 EL Pflanzenöl
1½ EL rote Thai-Currypaste*
1 Zwiebel, in Schnitze geschnitten
2 TL geriebener Ingwer
250 g orangefleischige Süßkartoffeln* (Kumara), in dünne Scheiben geschnitten
250 ml Kokosmilch
250 ml Hühnerbrühe
350 g Schweinefilet, in dünne Scheiben geschnitten
je 1 Bund Basilikum und Koriander

Das Öl in einem Topf bei mittlerer bis hoher Temperatur erhitzen und darin die Currypaste 1 Minute anbraten, bis sie aromatisch duftet. Zwiebel und Ingwer dazugeben und 2 Minuten andünsten. Anschließend die Kartoffelscheiben, Kokosmilch und Brühe hinzufügen und 8 Minuten köcheln lassen, bis die Kartoffeln gerade weich werden. Das Schweinefleisch hinzufügen und 4 Minuten in der Brühe garen oder so lange, bis es durchgegart ist. Das fertige Curry in Schalen verteilen und mit Basilikum- und Korianderblättern bestreuen. ERGIBT 2 PORTIONEN.

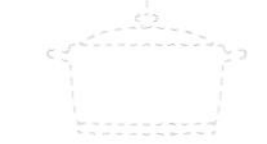

Knusprig frittierter Fisch mit Asianudeln

300 g frische breite Reisnudeln
Pflanzenöl zum Frittieren
350 g festes weißfleischiges Fischfilet, mundgerecht geschnitten
100 g Reismehl*
½ TL chinesisches Fünf-Gewürze-Pulver*
Koriander und Sojasauce zum Servieren
Für den Chiliessig:
125 ml weißer Essig
110 g Zucker
3 große rote Chilis, in feine Ringe geschnitten
1 EL fein gehackter Ingwer

Für den Chiliessig alle Zutaten 8–10 Minuten sirupartig einkochen. Den Sirup in eine Schüssel umfüllen. Die Nudeln mit kochendem Wasser übergießen, umrühren, abgießen, abtropfen lassen. Den Topf waschen, abtrocknen, zu einem Drittel mit Frittieröl füllen und bei mittlerer Temperatur erhitzen. Das Reismehl mit dem Fünf-Gewürze-Pulver vermischen, den Fisch darin wälzen und im heißen Öl frittieren. Auf Küchenpapier abtropfen lassen. Die Nudeln mit gezupften Korianderblättern bestreuen und mit Sojasauce beträufeln. Den Fisch auf den Nudeln anrichten und mit dem Dressing beträufeln. ERGIBT 2 PORTIONEN.

Hühner-Wantan-Suppe mit Zitronengras

200 g gehacktes Hühnerfleisch
1 Stängel Zitronengras*, fein gehackt
2 TL fein geriebener Ingwer
1 Eiweiß
12 Wantan-Teigblätter*
1 l Hühnerbrühe
2 Scheiben Ingwer
2 Kaffirlimettenblätter*
1 große rote Chili, in feine Ringe geschnitten
350 g Gai Larn* (chinesischer Brokkoli)

Das Hackfleisch mit Zitronengras, Ingwer und Eiweiß gut vermischen. Auf jedes Wantan-Teigblatt einen esslöffelgroßen Klecks der Fleischmischung setzen, die Ränder der Teigblätter mit Wasser bestreichen, zur Hälfte zusammenfalten und die Kanten gut zudrücken. Die Brühe mit Ingwer, Limettenblättern und Chili in einem Topf bei mittlerer bis hoher Temperatur zum Kochen bringen. Die Wantans hineingeben und 6 Minuten köcheln lassen, bis die Teigtaschen fast durchgegart sind. Dann den Gai Larn hinzufügen und weitere 2 Minuten mitkochen. Die Wantans in Suppenschalen verteilen, die Brühe sowie den Gai Larn darübergeben. ERGIBT 2 PORTIONEN.

KARTOFFELSALAT MIT HUHN UND SALSA VERDE

PENNE MIT RUCOLA, PARMESAN UND OLIVEN

Kartoffelsalat mit Huhn und Salsa verde

6 festkochende Salatkartoffeln
1 Zweig Minze
2 gegarte Hühnerbrustfilets à 200 g, mundgerecht geschnitten
1 EL Kapern, abgespült und abgetropft
60 g Rucola
Für die Salsa verde:
2 Bund glattblättrige Petersilie
2 Bund Minze
1 Bund Dill
60 ml Olivenöl
1 EL Dijonsenf
1 EL Zitronensaft
grob zerstoßener schwarzer Pfeffer

Für die Salsa verde Petersilie, Minze, Dill, Öl, Senf, Zitronensaft und Pfeffer im Mixer oder mit dem Pürierstab grob zerkleinern. Die Kartoffeln mit dem Minzzweig in einen Topf geben, mit Wasser aufgießen und 15 Minuten gar kochen. Abgießen und den Minzzweig entfernen. Die Kartoffeln der Länge nach halbieren und zusammen mit dem Hühnerfleisch und den Kapern in den noch warmen Topf zurückgeben und behutsam vermischen. Die Salsa verde darüber verteilen und vorsichtig darunterheben. Den Rucola auf die Teller verteilen und den Hühner-Kartoffel-Salat darauf anrichten. ERGIBT 2 PORTIONEN.

Die Salsa verde ist so praktisch und vielseitig verwendbar, dass man sie – portionsweise verpackt – immer im Tiefkühler haben sollte. Im Nu gibt sie den unterschiedlichsten Gerichten ein wunderbar frisches Aroma. Mischen Sie sie unter heiße Pasta oder reichen Sie sie als Dip zu gegrilltem oder gebratenem Fleisch, zu Huhn, Lamm oder Gemüse. Man kann die Salsa verde auch im Voraus zubereiten und bis zu einer Woche im Kühlschrank aufbewahren.

Penne mit Rucola, Parmesan und Oliven

200 g Penne
1½ EL Olivenöl
2 Knoblauchzehen, gepresst
2 Sardellenfilets, fein gehackt
60 g kleine schwarze Oliven, entsteint, klein gehackt
1 TL fein abgeriebene Zitronenschale
80 g Rucola, klein gezupft
40 g Parmesan, gerieben, zum Servieren

Die Nudeln in Salzwasser 10–12 Minuten bissfest kochen, abgießen und beiseite stellen. Den Topf zurück auf den Herd stellen. Öl, Knoblauch, Sardellenfilets, Oliven und Zitronenschale 2 Minuten darin andünsten. Dann die Nudeln dazugeben und mischen, zuletzt den Rucola darunterheben. Die Penne auf die Teller verteilen und mit geriebenem Parmesan bestreut servieren.
ERGIBT 2 PORTIONEN.

Pasta mit Speck, Salbei und Ricotta

200 g Rigatoni oder andere kurze Nudeln
15 g Butter
1 TL Olivenöl
8 Salbeiblätter
8 Scheiben Speck (Pancetta*), grob geschnitten
60 g grüne Oliven, entsteint, halbiert
1 Prise Chiliflocken
1 EL abgeriebene Zitronenschale
2 EL Zitronensaft
150 g Ricotta*
geriebener Parmesan zum Servieren

Die Nudeln in Salzwasser 10–12 Minuten bissfest garen, abgießen und beiseite stellen. Den Topf zurück auf den Herd stellen und Butter, Öl, Salbei und Speck 3 Minuten darin andünsten, bis der Speck knusprig ist. Dann Oliven, Chiliflocken, Zitronenschale, Zitronensaft und die Pasta hinzufügen und alles gut mischen. Die Pasta auf die Teller verteilen, auf jede Portion einige Kleckse Ricotta geben und mit dem Parmesan bestreuen.
ERGIBT 2 PORTIONEN.

PASTA MIT SPECK, SALBEI UND RICOTTA

Linguine mit Rucola und Garnelen

200 g Linguine oder andere feine Teigwaren
2 EL Olivenöl
4 Knoblauchzehen
12 rohe Garnelen (Crevetten), geschält, halbiert
1 TL abgeriebene Zitronenschale
½ TL Chiliflocken
Meersalz und schwarzer Pfeffer aus der Mühle
50 g Rucola, grob gehackt
Zitronensaft zum Abschmecken

Die Linguine in Salzwasser 10–12 Minuten bissfest garen, abgießen und warm halten. Den Topf zurück auf den Herd stellen und bei mittlerer bis hoher Temperatur Olivenöl, Garnelen, Zitronenschale, Chiliflocken, Salz und Pfeffer hineingeben und 2–3 Minuten dünsten, bis die Garnelen gerade gar und rosafarben sind. Die Nudeln und den Rucola darunterheben, mit Zitronensaft abschmecken und sofort servieren. ERGIBT 2 PORTIONEN.

Fischeintopf mit Knoblauch und Tomaten

1 EL Olivenöl
4 Knoblauchzehen, gepresst
1 TL abgeriebene Zitronenschale
½ Zwiebel, fein geschnitten
125 ml trockener Weißwein
125 ml Fischfond oder Gemüsebrühe
400 g geschälte Tomaten aus der Dose, zerquetscht
6 Frühkartoffeln, geviertelt
350 g festes weißfleischiges Fischfilet, große Stücke
Meersalz und schwarzer Pfeffer aus der Mühle
1 Bund glattblättrige Petersilie, klein gezupft
Krustenbrot zum Servieren

Einen Topf bei mittlerer Temperatur erhitzen und darin Öl, Knoblauch, Zitronenschale und Zwiebel 2 Minuten andünsten, bis die Zwiebel weich wird. Den Wein hinzufügen und 3 Minuten köcheln lassen. Dann Brühe, Tomaten und Kartoffeln dazugeben und alles zugedeckt 8 Minuten köcheln lassen. Anschließend den Fisch, Salz und Pfeffer hinzufügen und nochmals 4 Minuten köcheln lassen oder so lange, bis der Fisch durchgegart ist. Den Eintopf in Schalen oder tiefe Teller verteilen und mit der Petersilie bestreuen. ERGIBT 2 PORTIONEN.

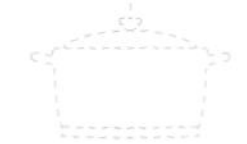

Gnocchi mit Zitrone und Rucola

450 g Kartoffelgnocchi
125 ml Rahm
1 EL Zitronensaft
2 TL abgeriebene Zitronenschale
80 g Rucola, grob gehackt
Meersalz und schwarzer Pfeffer aus der Mühle
geriebener Parmesan zum Servieren

Die Gnocchi in Salzwasser garen, abgießen und warm halten. Den Topf zurück auf den Herd stellen und darin den Rahm zusammen mit Zitronensaft und Zitronenschale erhitzen. Den Rucola darunterheben, salzen und pfeffern. Anschließend die Gnocchi in den Zitronenrahm geben und durchwärmen. Die Gnocchi auf die Teller verteilen und mit Parmesan bestreut servieren. ERGIBT 2 PORTIONEN.

Chili-Garnelen mit Thaireis

300 g Jasmin- oder Duftreis
560 ml Wasser
125 ml Kokosmilch
1 Stängel Zitronengras*, geputzt, fein gehackt
1 EL geriebener Ingwer
3 Kaffirlimettenblätter*
Meersalz
12 rohe Garnelen (Crevetten), geschält, ohne Kopf und Schwanz
2 TL geriebener Ingwer
2 EL Chili-Marmelade*
Korianderblätter und Limettenspalten zum Servieren

Den Reis mit Wasser, Kokosmilch, Zitronengras, Ingwer, Limettenblättern und Salz in einem Topf bei mittlerer Hitze zum Kochen bringen und anschließend 12 Minuten köcheln lassen, bis sich im Reis Luftlöcher bilden und die Flüssigkeit größtenteils aufgesogen ist. Die Garnelen mit Ingwer und Chili-Marmelade vermischen und auf den Reis geben. Zugedeckt 2 Minuten mitgaren. Dann den Topf vom Herd nehmen und zudeckt weitere 3 Minuten durchziehen lassen. Die Garnelen und den Reis auf die Teller verteilen, mit Korianderblättern bestreut und Limettenspalten garniert servieren. ERGIBT 2 PORTIONEN.

DREI-KÄSE-RAVIOLI MIT SPINAT

LAMMKOTELETTS MIT INDISCHEM REIS

Drei-Käse-Ravioli mit Spinat

170 g Ricotta*
60 g Gruyère, gerieben
40 g Parmesan, gerieben
1 Eigelb
grob zerstoßener schwarzer Pfeffer
2 EL fein gehackter Schnittlauch
24 Wantan-Teigblätter*
30 g Butter
1 Knoblauchzehe, gepresst
200 g zarter, junger Blattspinat
20 g gehobelte Mandeln, geröstet
Olivenöl zum Beträufeln
extrafein geriebener Parmesan zum Servieren

Ricotta, Gruyère und Parmesan mit Eigelb, Pfeffer und Schnittlauch verrühren. Auf die Hälfte der Teigblätter jeweils 1 teelöffelgroße Portion Käsemischung setzen, die Ränder der Teigblätter mit Wasser bestreichen und mit den restlichen Teigblättern bedecken. Den Rand rundherum fest zusammendrücken. In einem Topf reichlich Salzwasser zum Kochen bringen und die Ravioli darin 3 Minuten garen, bis sie an die Wasseroberfläche aufsteigen und weich sind. Abgießen und beiseite legen. Den Topf zurück auf den Herd stellen und darin Butter und Knoblauch 1 Minute andünsten. Den Spinat hinzufügen und 1 weitere Minute dünsten, bis die Spinatblätter zusammenfallen. Den Spinat auf die Teller verteilen, mit den gerösteten Mandeln bestreuen, darauf die Ravioli anrichten und mit Olivenöl beträufeln. ERGIBT 2 PORTIONEN.

Wantan-Teigblätter sind sehr vielseitig. Sie ersparen die Mühe der Pastazubereitung und lassen sich wie Ravioli oder Tortellini füllen. Man kann sie aber auch knusprig frittieren und süß oder herzhaft belegen. Oder man kleidet mit ihnen Muffinförmchen aus, so dass kleine Canapé-Schälchen entstehen. Achten Sie darauf, Teigblätter mit Ei zu kaufen; sie schmecken besser und sind geschmeidiger.

Lammkoteletts mit indischem Reis

6 Lammkoteletts
2 EL fertig gekaufte Tandooripaste
1 EL Olivenöl
Für den indischen Gewürzreis:
1 EL Olivenöl
1 Zwiebel, in Spalten geschnitten
2 Knoblauchzehen, in Scheiben geschnitten
½ TL Kreuzkümmelsamen
2 Kardamomkapseln, zerquetscht
200 g Langkornreis
430 ml Hühnerbrühe
40 g gehobelte Mandeln, geröstet
Meersalz
einige Zweige Koriander, gehackt
Lime Pickles (eingelegte Limetten) und fertig gekauftes Tsatsiki*

Die Lammkoteletts mit der Tandooripaste bestreichen. Einen Topf bei mittlerer bis hoher Temperatur erhitzen, ½ EL Öl hineingeben. Darin die Koteletts von jeder Seite 1 Minute anbraten, auf einem vorgewärmten Teller zugedeckt warm halten. Für den Gewürzreis den Topf auswischen und bei mittlerer Temperatur im Öl Zwiebel, Knoblauch, Kreuzkümmel und Kardamom 1 Minute andünsten, bis die Gewürze aromatisch duften. Dann den Reis hinzufügen und 1 Minute mit den Gewürzen mitdünsten. Anschließend die Brühe dazugießen und leise köcheln lassen, bis sich im Reis Luftlöcher bilden. Die Koteletts auf den Reis legen und zugedeckt bei sehr niedriger Temperatur weitere 2 Minuten mitschmoren lassen. Den Topf vom Herd nehmen, 3 Minuten zugedeckt ruhen lassen. Die gehobelten Mandeln, Salz und Koriander unter den Reis heben, auf die Teller verteilen, die Lammkoteletts daraufsetzen und mit Lime Pickles und Tsatsiki servieren. ERGIBT 2 PORTIONEN.

Zitronen-Lachs-Pasta

200 g Spaghettini
60 ml Rahm
2 EL Zitronensaft
2 TL Dijonsenf
1 EL grob gehackter Dill
1 EL Kapern, abgespült und abgetropft
175 g heißgeräuchertes Lachsfilet, in grobe Stücke zerpflückt

Die Spaghettini in Salzwasser 10–12 Minuten bissfest garen, abgießen und zurück in den Topf geben. Rahm, Zitronensaft und Senf hinzufügen und alles gut vermischen. Anschließend Dill, Kapern und das geräucherte Lachsfilet darunterheben und sofort servieren. ERGIBT 2 PORTIONEN.

ZITRONEN-LACHS-PASTA

Geschmortes Huhn mit Kartoffeln

1 ganzes Hühnchen von 1½ kg
1 ganze Knoblauchknolle, halbiert
6 Frühkartoffeln
12 Zitronenthymianzweige
180 ml Hühnerbrühe
60 ml trockener Weißwein
Meersalz und schwarzer Pfeffer aus der Mühle

Den Ofen auf 160 Grad vorheizen. Das Hühnchen mit der Brustseite nach oben in einen tiefen Schmortopf mit passendem Deckel legen. Knoblauch, Kartoffeln, Thymian, Brühe und Wein zu dem Hühnchen in den Topf geben. Salzen und pfeffern und zugedeckt im Ofen 1 Stunde schmoren lassen. Dann den Deckel abnehmen und weitere 15 Minuten backen, bis sich das Hühnchen goldbraun färbt. Mit den geschmorten Kartoffeln, Knoblauch und Bratensaft servieren. ERGIBT 2 PORTIONEN MIT EINEM REST HUHN.

Selleriesuppe mit brauner Salbeibutter

2 TL Olivenöl
1 Zwiebel, gehackt
200 g Kartoffeln, geschält, zerkleinert
500 g Knollensellerie, geschält, zerkleinert
750 ml Hühner- oder Gemüsebrühe
125 ml Rahm
Meersalz und schwarzer Pfeffer aus der Mühle
Für die braune Salbeibutter:
30 g Butter
8 Salbeiblätter

Einen Topf bei mittlerer bis hoher Temperatur erhitzen, das Öl hineingeben und die Zwiebel darin 3 Minuten glasig dünsten. Kartoffeln, Sellerie und Brühe hinzufügen, zum Kochen bringen und zugedeckt 15 Minuten köcheln lassen, bis das Gemüse weich ist. Den Topf vom Herd nehmen, den Rahm darunterrühren, salzen und pfeffern. Die Suppe mit dem Pürierstab pürieren und in vorgewärmte Suppenschalen verteilen. Für die Salbeibutter den Topf auswaschen, zurück auf den Herd stellen und darin die Butter schmelzen. Die Salbeiblätter dazugeben und darin knusprig und goldbraun backen. Die Salbeibutter auf die Suppe geben und sofort servieren. ERGIBT 2 PORTIONEN.

Pasta mit Brokkoli, Zitrone und Mandeln

200 g Orecchiete oder andere kurze Nudeln
30 g Butter
2 Knoblauchzehen, gepresst
1 TL abgeriebene Zitronenschale
200 g kleine Brokkoliröschen
1 EL Zitronensaft
60 ml Hühner- oder Gemüsebrühe
Meersalz und schwarzer Pfeffer aus der Mühle
35 g geröstete gehobelte Mandeln und geriebener Parmesan zum Servieren

Die Orecchiette in Salzwasser 10–12 Minuten bissfest kochen, abgießen und beiseite stellen. Den Topf zurück auf den Herd stellen, die Butter hineingeben und darin den Knoblauch und die Zitronenschale 1 Minute andünsten. Anschließend den Brokkoli hinzufügen und 3–4 Minuten mitdünsten, bis die Röschen gerade zart sind. Dann Zitronensaft, Brühe, Salz, Pfeffer und die Teigwaren dazugeben und gut mischen. Die Pasta auf die Teller verteilen, mit den gehobelten Mandeln und Parmesan bestreuen und servieren. ERGIBT 2 PORTIONEN.

Kürbis-Kichererbsen-Curry

1 EL Pflanzenöl
1 rote Zwiebel, in Ringe geschnitten
2 EL rote Currypaste*
400 g Kichererbsen aus der Dose, abgetropft
600 g Kürbis, geschält, gewürfelt
250 g Aubergine, gewürfelt
400 ml Kokosmilch
250 ml Gemüsebrühe
1 Bund Basilikum
Limettenspalten und gedämpfter Reis zum Servieren

Das Öl in einem Topf bei mittlerer bis hoher Temperatur erhitzen. Darin Zwiebel und Currypaste 2 Minuten andünsten, bis die Zwiebel glasig und weich wird. Kichererbsen, Kürbis, Aubergine, Kokosmilch und Gemüsebrühe hinzufügen und köcheln lassen, bis der Kürbis weich ist. Das Basilikum darunterheben. Mit gedämpftem Reis und Limettenspalten servieren.
ERGIBT 2 PORTIONEN.

FRITTIERTER TINTENFISCH MIT KNUSPRIGEN KRÄUTERN UND LAUCH

PASTA MIT SOMMERKRÄUTERN

Frittierter Tintenfisch mit knusprigen Kräutern und Lauch

Pflanzenöl zum Frittieren
1 Stange Lauch, geputzt, in sehr feine, lange Streifen geschnitten
einige Minzeblätter
einige Basilikumblätter
100 g Reismehl*
2 TL chinesisches Fünf-Gewürze-Pulver*
½ TL Meersalz
8 kleine Tintenfische (750 g), gesäubert, in Streifen geschnitten
grüner Salat und Aïoli (siehe Seite 116) zum Servieren

Das Öl in einem tiefen Topf bei mittlerer bis hoher Temperatur erhitzen. Darin die Lauchstreifen, die Minze- und Basilikumblätter portionsweise jeweils 15–20 Sekunden frittieren, bis sie goldbraun und knusprig sind. Auf Küchenpapier abtropfen lassen. Das Reismehl mit Fünf-Gewürze-Pulver und Salz vermischen und den Tintenfisch darin wälzen. Überschüssiges Reismehl abklopfen und den Tintenfisch portionsweise 1–2 Minuten in dem heißen Öl frittieren, bis er gar und schön knusprig ist. Auf Küchenpapier abtropfen lassen. Salat auf den Teller verteilen, den Tintenfisch, den frittierten Lauch und die Kräuter darauf anrichten und mit Aïoli servieren. ERGIBT 2 PORTIONEN.

Reismehl ist eine sichere Sache, wenn Frittiertes auch wirklich knusprig bleiben soll. Der Stärkeanteil von Reis durchläuft beim Frittieren eine besondere Reaktion, die zu einer knackigen Konsistenz führt. Der frittierte Lauch und die frittierten Kräuter verstärken in diesem Gericht subtil das Aroma, geben ihm einen interessanten Farbtupfer und ein wunderbar knuspriges Gefühl im Mund.

Pasta mit Sommerkräutern

200 g Linguine oder Spaghetti
30 g Butter
2 Knoblauchzehen, gepresst
70 g Semmelbrösel
1 Bund Minze, grob zerzupft
1 Bund Basilikum, grob zerzupft
1 Bund glattblättrige Petersilie, grob zerzupft
1 EL Olivenöl
Meersalz und schwarzer Pfeffer aus der Mühle

Die Nudeln in Salzwasser 10–12 Minuten bissfest kochen, abgießen und beiseite stellen. Den Topf zurück auf den Herd stellen, die Butter hineingeben und darin Knoblauch und Semmelbrösel unter Rühren 2 Minuten anbräunen. Die Nudeln, die Kräuter und das Öl darunterheben, salzen und pfeffern. ERGIBT 2 PORTIONEN.

Zucchini-Minze-Pasta

200 g Spaghetti
2 Zucchini, geraspelt
2 EL gehackte Minze
1 EL Zitronensaft
1 Prise Chiliflocken
Meersalz und schwarzer Pfeffer aus der Mühle
geriebener Parmesan zum Servieren

Die Nudeln in Salzwasser 10–12 Minuten bissfest kochen, abgießen, zurück in den Topf geben und mit den geraspelten Zucchini, Minze, Zitronensaft, Chiliflocken, Salz und Pfeffer vermischen. Die Pasta auf die Teller verteilen, mit geriebenem Parmesan bestreuen und sofort servieren. ERGIBT 2 PORTIONEN.

ZUCCHINI-MINZE-PASTA

TURBO REZEPTE 4

Saucen, Dips, Glasuren

Gleichgewicht ist das Entscheidende im Leben. Das trifft auch auf die Mahlzeiten zu – alles sollte ausgewogen sein. Wenn Sie das Gefühl haben, es fehlt etwas, geben Sie frische Kräuter hinzu, eine cremige Sauce oder eine pikante Salsa. Mit den folgenden Rezepten werden Sie für jede Gelegenheit etwas Passendes finden.

Balsamicozwiebeln

RECHTS: 3 Zwiebeln in Spalten schneiden und mit einigen Thymianzweigen in etwas Olivenöl bei mittlerer bis hoher Temperatur 8 Minuten andünsten. Dann 60 ml Balsamicoessig und 50 g feinen Zucker dazugeben und weitere 12 Minuten schmoren, bis die Zwiebeln schön weich sind und sich ein sirupartiger Saft gebildet hat. Passt zu Rind, Huhn, Schwein oder Lamm.

Rotweinglasur

UNTEN: 1 l Rinderbrühe, 60 ml Rotwein und 240 g Rote-Johannisbeeren-Gelee bei hoher Temperatur zum Kochen bringen. Dann 15 Minuten bei reduzierter Hitze köcheln lassen, bis die Flüssigkeit leicht eindickt. Passt zu geschmortem, gebratenem oder gegrilltem Rindfleisch, Lamm, Schwein oder Kalb.

Die Konsistenz und das intensive Aroma von Fleisch verlangt manchmal nach ausgleichenden Begleitern. Hier bietet sich alles an, was eine säuerliche Note hat: Balsamico- oder Obstessig, Rot- oder Weißwein.

Minzeglasur

OBEN: 180 ml Apfelessig, 75 g Zucker und 2 EL grobkörnigen Senf bei mittlerer Temperatur köcheln lassen, bis die Mischung sirupartig eindickt. Vom Herd nehmen und 30 g grob gehackte Minzeblätter, Salz und Pfeffer darunterrühren. Passt zu Lammbraten, Lammkeule und Lammkoteletts oder kalt als Minzesauce zu Sandwiches mit Lamm.

Braune Kräuterbutter

LINKS: 100 g Butter in einem Topf bei hoher Temperatur 4–5 Minuten schmelzen und anbräunen. 12 Salbeiblätter oder 10 g Oreganoblätter, grobes Meersalz und grob zerstoßenen schwarzen Pfeffer dazugeben und braten, bis die Kräuter knusprig sind. Passt zu Suppen, Risotto, Polenta, einfachen Nudeln oder gegrilltem Fleisch, Pilzen oder Gemüse.

Süße Zitronen-Kapern-Mischung

RECHTS: 3 Zitronen samt der weißen Haut schälen und in Scheiben schneiden. Die Scheiben in einer Schüssel (kein Metall!) mit 75 g feinem Zucker, 1 Bund glattblättriger Petersilie und 1 TL abgespülter Kapern vermischen und 10 Minuten ziehen lassen. Passt zu gegrilltem, gebratenem oder gedämpftem Fisch oder Huhn.

Asia-Mayonnaise

UNTEN: Für Chili-Koriander-Mayonnaise 300 g fertig gekaufte Mayonnaise mit 1 Prise Chiliflocken und 10 g gehacktem Koriandergrün vermischen. Passt zu Huhn, Meeresfrüchten, gedämpftem Gemüse und Salaten. Für Wasabi-Mayonnaise 300 g fertig gekaufte Mayonnaise mit 1 EL Wasabipaste* vermischen. Zu Meeresfrüchten und asiatischen Salaten reichen.

Diese scharfen Mayonnaisen und pikanten Saucen geben einen kulinarischen Kick. Sie verleihen einem faden oder milden Gericht ein kräftiges Aroma und bringen es geschmacklich von null auf hundert.

Aïoli und Zitronenmayonnaise

OBEN: Für Aïoli 300 g fertig gekaufte Mayonnaise mit 2–3 gepressten Knoblauchzehen vermischen. Passt zu gegrilltem Fleisch, Gemüse oder Meeresfrüchten. Für Zitronenmayonnaise 300 g fertig gekaufte Mayonnaise mit 2 EL Zitronensaft vermischen. Zu Huhn, Meeresfrüchten und gedämpftem Gemüse reichen.

Grüne Mango mit Limette und Koriander

LINKS: 1 geschälte, in feine Streifen geschnittene grüne Mango, 2 EL Limettensaft, 1 TL feinen Zucker, 1 TL Fischsauce*, 1 fein geschnittene große rote Chili, 1 TL fein geschnittenen Ingwer und 1 großes Bund fein gezupften Koriander vermischen. Passt zu asiatischen Gerichten mit gegrilltem oder gebratenem Huhn, Rind- oder Schweinefleisch sowie zu Fisch oder Meeresfrüchten.

Kirschtomaten-Salsa

RECHTS: 250 g Kirschtomaten von Hand quetschen und die Samenkerne entfernen. Die Tomaten mit 1 EL abgeriebener Zitronenschale, 1 EL Oreganoblättchen, 1–2 EL fein geschnittener Frühlingszwiebel, 2 EL Olivenöl, 1 EL Malzessig und 1 TL feinem Zucker vermischen. Passt zu Pasta oder gegrilltem Fleisch, Huhn oder Meeresfrüchten.

Gurkenbeilage mit Minze

UNTEN: 125 ml Weißweinessig und 1 EL feinen Zucker in einem kleinen Topf bei hoher Temperatur zum Kochen bringen und 2–3 Minuten köcheln lassen. 4 entkernte, in Scheiben geschnittene kleine Salatgurken und 40 g Minzeblätter in einer Schüssel vermischen, den heißen Essigsirup darübergießen und vermischen. Passt kalt oder zimmerwarm zu gegrilltem Fisch, Lamm, Huhn und zu fertig gekauftem Hummus*. Erfrischend zu scharfen Currys.

Mit einer aromatischen bis pikanten würzigen Beilage werden Steak, Huhn, Fisch oder Gemüse vom Grill zu einem besonderen Gaumenkitzel. Frische Kräuter, Kapern und Oliven geben einen geschmacklichen Kick.

Salsa verde

OBEN: 1 Bund glattblättrige Petersilie, 1 Bund Minze, ½ Bund Dill, 1 TL Dijonsenf, 1 EL abgespülte Kapern, 1 EL abgeriebene Zitronenschale und 2 EL Olivenöl in einer Schüssel vermischen und mit dem Blitzhacker oder im Mixer grob zerkleinern. Passt als Sauce zu Pasta, Kalbfleisch, Huhn oder gegrillten Meeresfrüchten.

Oliven-Pinienkern-Salsa

LINKS: 60 g entsteinte schwarze Oliven, 1 Bund glattblättrige Petersilie, 1 Bund fein gehackter Basilikum, 1 EL Zitronenzesten, 60 ml Olivenöl, 75 g geröstete Pinienkerne und Meersalz in einer Schüssel vermischen. Passt zu gegrilltem, gebratenem oder geschmortem Rindfleisch, Huhn, Lammfleisch oder Meeresfrüchten, ebenso ausgezeichnet zu Pasta oder zu Couscous*.

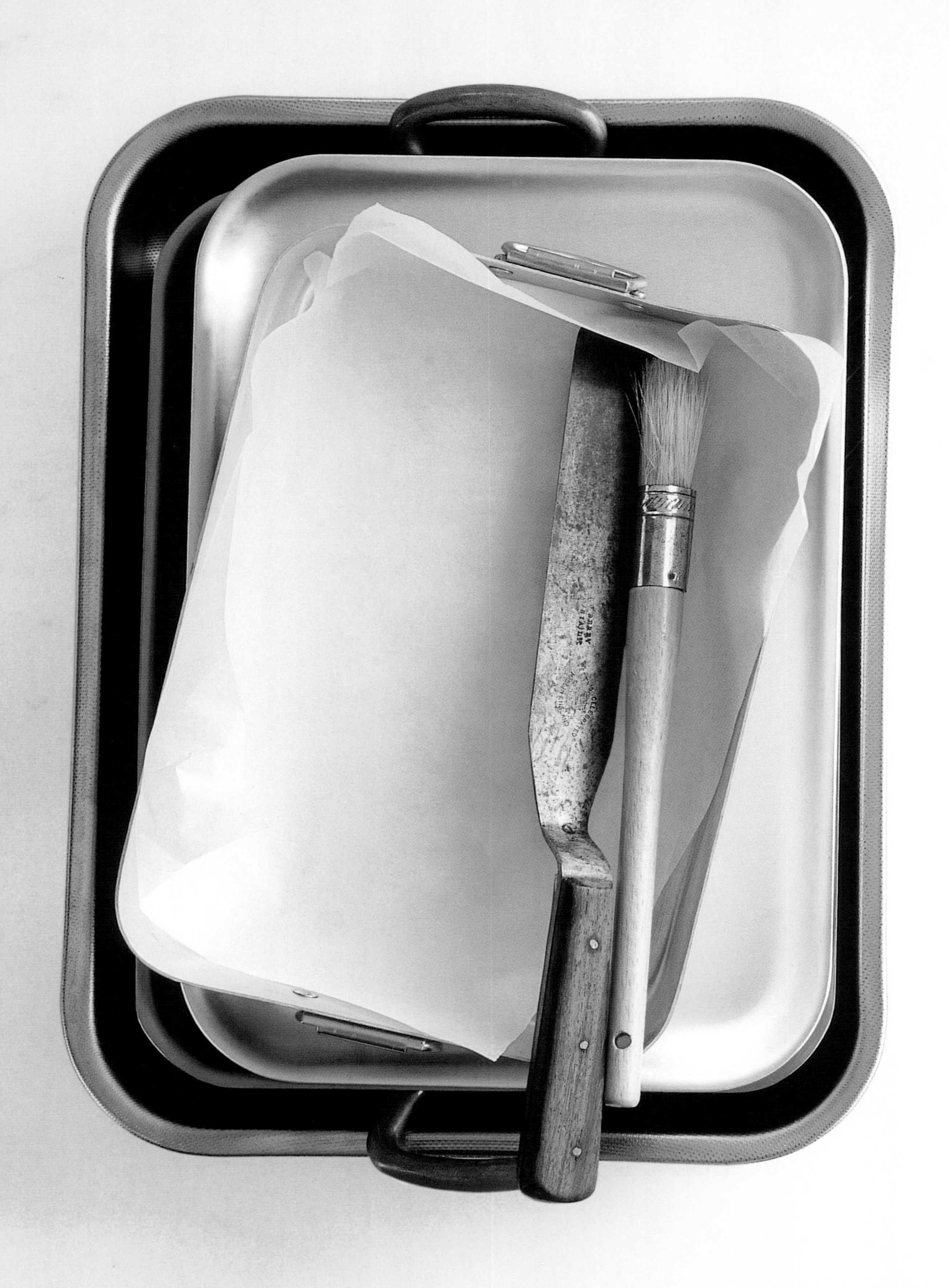

AUS DEM OFEN

Durch das gemeinsame Schmoren in einer Form im Ofen verbinden sich die Aromen der Produkte aufs Köstlichste. Sie brauchen dazu nichts weiter zu tun, als die Zutaten in eine Form zu geben, den Rest erledigt der Ofen. Die folgenden Ofengerichte begeistern immer. Und das Beste: Nach dem Mahl ist neben den Tellern nur die eine Form abzuwaschen.

TARTE MIT KARAMELLISIERTEN ZWIEBELN

ZITRONEN-FETA-HÜHNCHEN

Tarte mit karamellisierten Zwiebeln

1 Platte fertig gekaufter Blätterteig, falls gefroren aufgetaut
160 g fertig gekaufte Zwiebelmarmelade
8 Oliven, entsteint
8 Sardellenfilets (fakultativ)
2 TL Thymianblätter
grob zerstoßener schwarzer Pfeffer
gehobelter Parmesan und Rucola zum Servieren

Den Ofen auf 180 Grad vorheizen. Den Blätterteig auf ein mit Backpapier belegtes Blech legen und die Zwiebelmarmelade auf dem Teig ausstreichen, dabei rundherum einen Rand frei lassen. Oliven, Sardellenfilets und Thymian darauf verteilen und die Tarte 20–25 Minuten backen, bis der Blätterteig aufgegangen und goldbraun ist. Mit Pfeffer bestreuen und mit gehobeltem Parmesan und Rucola servieren. ERGIBT 2 PORTIONEN.

Tiefgekühlter Blätter- und Mürbteig gehört in den Vorrat der Turbo-Küche. Achten Sie darauf, dass die Teige mit Butter zubereitet sind – nur dann schmecken sie wirklich! Damit ein Blätterteigdeckel optimal aufgeht und herrlich luftig-blättrig wird, müssen Sie zwei Lagen des fertig gekauften Blätterteigs übereinander legen.

Zitronen-Feta-Hühnchen

2 Hühnerbrustfilets à 200 g
200 g Feta, in dicke Scheiben geschnitten
5 Thymianzweige
1 EL Zitronenzesten
2 EL Zitronensaft
Olivenöl zum Beträufeln
schwarzer Pfeffer aus der Mühle
grüner Salat zum Servieren

Den Ofen auf 180 Grad vorheizen. Die Hühnerbrustfilets mit Feta, Oregano, Zitronenzesten und Zitronensaft in eine Auflaufform geben, mit Olivenöl beträufeln und pfeffern. Im Ofen etwa 18 Minuten backen, bis das Fleisch durchgegart ist. Mit grünem Salat servieren. ERGIBT 2 PORTIONEN.

Drei-Käse-Risotto aus dem Ofen

200 g Risottoreis (Arborio oder anderer Rundkornreis)
625 ml Hühner- oder Gemüsebrühe
1 Stange Lauch, geputzt, fein geschnitten
1 TL gehackte Oreganoblätter
30 g Butter
25 g Parmesan, gerieben
Meersalz und schwarzer Pfeffer aus der Mühle
150 g cremiger Blauschimmelkäse
150 g Ricotta*
4 Scheiben Rohschinken (Parmaschinken*)
geriebener Parmesan zum Servieren

Den Ofen auf 190 Grad vorheizen. Den Reis mit Brühe, Lauch, Oregano und Butter in eine Auflaufform geben und mit einem Deckel verschlossen oder mit einem Stück Alufolie bedeckt 40 Minuten backen, bis der Reis gar ist. Aus dem Ofen nehmen, den Parmesan darunterziehen, salzen und pfeffern und den Risotto 5 Minuten rühren, bis es schön cremig und die Flüssigkeit vollständig aufgesogen ist. In tiefen Tellern anrichten, Blauschimmelkäse, Ricotta und Rohschinken darauf verteilen und Parmesan dazu reichen. ERGIBT 2 PORTIONEN.

DREI-KÄSE-RISOTTO AUS DEM OFEN

Geschmorter Kürbis mit Ricotta

400 g fester Ricotta*
1 EL Olivenöl
1/2 TL süßes Paprikapulver
1 EL Oreganoblätter
Meersalz und schwarzer Pfeffer aus der Mühle
1 EL geriebener Parmesan
500 g Kürbis, geschält, halbiert
Olivenöl zum Beträufeln
200 g Kirschtomaten
Rucola und 75 g entsteinte schwarze Oliven zum Servieren

Den Ofen auf 180 Grad vorheizen. Den Ricotta an das eine Ende einer mit Backpapier ausgelegten Auflaufform geben. Das Olivenöl mit Paprikapulver, Oregano, Salz und Pfeffer vermischen und über den Ricotta verteilen, mit Parmesan bestreuen. Den Kürbis ans andere Ende der Auflaufform setzen und mit etwas zusätzlichem Olivenöl beträufeln. 25 Minuten im Ofen backen, dann die Tomaten dazugeben, mit etwas zusätzlichem Olivenöl beträufeln. Weitere 25 Minuten backen, bis der Ricotta goldbraun und der Kürbis weich ist. Mit Rucola und Oliven servieren. ERGIBT 2 PORTIONEN.

Mit Soja und Ingwer ausgebackener Fisch

60 ml Sojasauce
1 EL geriebener Ingwer
4 Frühlingszwiebeln, schräg in Scheiben geschnitten
1 TL Sesamöl
1 TL brauner Zucker
400 g feste weißfleischige Fischfilets
200 g Gai Larn* (chinesischer Brokkoli), geputzt
1 Bund Koriander
1 Bund Basilikum
1 große rote Chili, gehackt (fakultativ)

Den Ofen auf 180 Grad vorheizen. Sojasauce, Ingwer, Frühlingszwiebeln, Sesamöl und Zucker in einer flachen Schüssel verrühren, den Fisch darin von jeder Seite 5 Minuten marinieren. Den Gai Larn in eine mit Backpapier ausgelegte Auflaufform geben, den Fisch darauflegen und mit der Marinade übergießen. Die Auflaufform mit Alufolie abdecken und alles 15 Minuten im Ofen schmoren, bis der Fisch durchgegart ist. Vor dem Servieren mit Koriander, Basilikum und Chili bestreuen. ERGIBT 2 PORTIONEN.

Gefülltes Kalbsschnitzel mit Mozzarella

2 Tomaten, jeweils in 4 Scheiben geschnitten
Olivenöl zum Beträufeln
1 EL Oreganoblätter für die Tomaten
Meersalz und schwarzer Pfeffer aus der Mühle
4 lange Scheiben Speck (Pancetta*)
4 dünne Kalbsschnitzel à 60 g
2 TL Oreganoblätter für das Fleisch
4 Scheiben Mozzarella
Rucola zum Servieren

Die Tomatenscheiben auf ein Backblech setzen, mit Olivenöl beträufeln, mit Oregano bestreuen, salzen und pfeffern. Die Speckscheiben auf einem Brett auslegen und die Kalbsschnitzel daraufgeben. Das Fleisch mit Thymian und dem zusätzlichen Oregano bestreuen und auf die eine Hälfte eine Scheibe Mozzarella setzen, so dass sich die Schnitzel über dem Käse zusammenklappen lassen. Die gefüllten Kalbsschnitzel neben die Tomaten auf das Blech setzen, mit Olivenöl beträufeln und unter dem vorgeheizten Backofengrill 5–7 Minuten grillen, bis das Fleisch durchgegart und der Speck knusprig ist. Die Kalbsschnitzel und die Tomaten auf die Teller verteilen und mit dem Rucola servieren. ERGIBT 2 PORTIONEN.

Huhn mit Schmortomaten

2 Tomaten à 220 g
8 kleine Zweige Thymian
16 Basilikumblätter
8 schwarze Oliven, entsteint
2 Hühnerbrustfilets à 200 g, jeweils gedrittelt
1 EL Thymianblätter
50 g Parmesan, gerieben
Meersalz und schwarzer Pfeffer aus der Mühle
Olivenöl zum Beträufeln
Rucola zum Servieren

Die Tomaten halbieren, mit der Schnittfläche nach oben auf ein mit Backpapier belegtes Blech setzen und mit einem spitzen Messer mehrfach einritzen. In die Schlitze die Thymianzweige, Basilikumblätter und Oliven stecken. Die Hühnerbrustfilets von beiden Seiten mit Thymianblättchen und Parmesan bestreuen, salzen und pfeffern und zu den Tomaten auf das Blech geben. Das Fleisch mit Olivenöl beträufeln und alles unter dem vorgeheizten Backofengrill 6–8 Minuten grillen, bis das Fleisch durchgegart ist. Den Rucola auf die Teller verteilen, darauf das Fleisch und die Tomaten setzen. Vor dem Servieren mit dem Bratensaft vom Blech beträufeln. ERGIBT 2 PORTIONEN.

HUHN MIT PARMESANKRUSTE

HUHN MIT ZITRONENGRAS IM PAPIERMANTEL

Huhn mit Parmesankruste

70 g Semmelbrösel
20 g Parmesan, gerieben
30 g Butter, flüssig
1 EL fein gehackte Thymianblätter
schwarzer Pfeffer aus der Mühle
2 Hühnerbrustfilets à 200 g, halbiert
Zitronenspalten und grüner Salat zum Servieren

Den Ofen auf 200 Grad vorheizen. Semmelbrösel, Parmesan, geschmolzene Butter, Thymian und Pfeffer vermischen. Die Hühnerbrustfilets in eine mit Backpapier ausgelegte Auflaufform setzen und die Semmelbröselmischung auf dem Fleisch verteilen. 10 Minuten im Ofen backen, bis das Fleisch durchgegart ist und die Semmelbrösel goldbraun sind. Mit Zitronenspalten und grünem Salat servieren. ERGIBT 2 PORTIONEN.

Wenn Sie sich schon die Mühe machen, die Semmelbrösel frisch zu mahlen, sollen Sie gleich auf Vorrat produzieren und einen Teil der frischen Semmelbrösel einfrieren. Am besten tun Sie dies portionsweise in Gefrierbeuteln mit Zippverschluss – so haben Sie immer frische Brösel für Füllungen und knusprige Beläge zur Hand.

Huhn mit Zitronengras im Papiermantel

2 junge, zarte Pak Choi*, halbiert
2 Hühnerbrustfilets à 200 g
Sesamöl zum Beträufeln
1 Stängel Zitronengras*, geputzt, fein gehackt
4 Kaffirlimettenblätter*, grob zerkleinert
4 Scheiben Ingwer, in Streichholzgröße geschnitten
einige Zweige Koriander
1 Limette, halbiert, zum Servieren

Den Ofen auf 180 Grad vorheizen. Backpapier in 2 lange Stücke schneiden. In die Mitte jedes Backpapiers zwei Pak-Choi-Hälften legen und darauf je ein Hühnerbrustfilet setzen. Das Fleisch mit Sesamöl, Zitronengras, Limettenblättern und Ingwer bestreuen. Die Enden der Papierstücke gut zusammenfalten, die einzelnen Päckchen auf ein Blech setzen und im Ofen 12–15 Minuten garen. Dann die Päckchen vorsichtig öffnen und prüfen, ob das Fleisch gar ist. Das Fleisch mit Koriander bestreuen und mit den Limettenhälften servieren. ERGIBT 2 PORTIONEN.

Meeresfrüchte aus dem Ofen

4 rohe Scampi, halbiert, geputzt
6 rohe Garnelenschwänze (Crevetten), halbiert
4 Krabben, halbiert
6 Jakobsmuscheln in den Muschelhälften
80 g weiche Butter
1 EL Kapern, abgespült, fein gehackt
2 Knoblauchzehen, gepresst
1 TL Chiliflocken
1 TL abgeriebene Zitronenschale
1 EL Zitronenthymianblätter
schwarzer Pfeffer aus der Mühle
Zitronenhälften zum Servieren

Den Ofen auf 200 Grad vorheizen. Scampi, Garnelen, Krabben und Jakobsmuscheln in eine mit Backpapier ausgelegte Auflaufform geben. Die weiche Butter mit Kapern, Knoblauch, Chiliflocken, Zitronenschale, Zitronenthymian und Pfeffer verrühren. Die Meeresfrüchte mit der Buttermischung bestreichen und alles 10 Minuten backen, bis die Meeresfrüchte durchgegart sind. Mit den Zitronenhälften servieren. ERGIBT 2 PORTIONEN.

MEERESFRÜCHTE AUS DEM OFEN

Geschmorte Hühnerfilets in Weinblättern

750 g Kartoffeln, geschält, dünn geschnitten
1 Zwiebel, in Ringe geschnitten
Meersalz und schwarzer Pfeffer aus der Mühle
1 EL Olivenöl für die Kartoffeln
2 EL Pinienkerne, gehackt
1 TL abgeriebene Zitronenschale
1 EL fein gehackte glattblättrige Petersilie
1 TL Olivenöl zusätzlich
2 Hühnerbrustfilets à 200 g
2 große eingelegte Weinblätter, abgespült
Olivenöl zum Bestreichen

Den Ofen auf 200 Grad vorheizen und eine Auflaufform mit Backpapier auslegen. Die Kartoffelscheiben mit Zwiebelringen, Salz, Pfeffer und Öl vermischen, in die Auflaufform füllen und 20 Minuten backen. Pinienkerne, Zitronenschale, Petersilie und das zusätzliche Öl vermischen, die Mischung auf die Hühnerbrustfilets streichen und jedes Stück Fleisch in ein Weinblatt wickeln. Die Päckchen mit Olivenöl bestreichen, auf das Kartoffelbett legen und 20 Minuten backen oder so lange, bis das Fleisch gar ist und die Kartoffeln weich sind. ERGIBT 2 PORTIONEN.

Risotto mit Kürbis und Speck

200 g Risottoreis (Arborio oder andere Sorte)
625 ml Hühner- oder Gemüsebrühe
30 g Butter
1 EL kleine Salbeiblätter
400 g Kürbis, geschält, gewürfelt
6 dünne Scheiben Speck (Pancetta*), grob gewürfelt
25 g Parmesan, gerieben
Meersalz und schwarzer Pfeffer aus der Mühle
geriebener Parmesan zum Servieren

Den Ofen auf 190 Grad vorheizen. Den Reis mit Brühe, Butter, Salbei, Kürbis und Speck in eine Auflaufform geben und diese mit einem Deckel oder mit Alufolie fest verschließen. 45 Minuten im Ofen garen oder so lange, bis der Reis weich ist. Den Parmesan darunterziehen, salzen und pfeffern und 5 Minuten weiter rühren, bis der Risotto schön cremig und die Flüssigkeit vollständig aufgesogen ist. Den Risotto auf die Teller verteilen und mit Parmesan bestreut servieren. ERGIBT 2 PORTIONEN.

Bruschetta mit Rohschinken und Mozzarella

4 Scheiben Sauerteig- oder anderes Brot
2 EL Olivenöl
1 Knoblauchzehe, gepresst
12 Basilikumblättchen
3 reife Tomaten, dick geschnitten
1 EL Balsamicoessig
Meersalz und schwarzer Pfeffer aus der Mühle
2 große Kugeln Büffelmozzarella, halbiert
4 große, dünne Scheiben Parmaschinken* oder anderer Rohschinken

Den Ofen auf 200 Grad vorheizen. Das Brot in eine Auflaufform oder Saftpfanne legen. Das Öl mit dem Knoblauch verrühren und damit die Brotscheiben bestreichen. Basilikum und Tomaten auf dem Brot verteilen, mit Balsamicoessig beträufeln, salzen und pfeffern. 15 Minuten im Ofen backen, bis die Tomaten weich sind. Die Mozzarellakugeln halbieren, jede der Hälften in eine Scheibe Rohschinken wickeln und auf die Tomaten legen. Weitere 10–15 Minuten backen, bis der Mozzarella geschmolzen und der Schinken knusprig ist. ERGIBT 2 PORTIONEN.

Kleine Hühner-Pies

200 g gegartes Hühnerfleisch, fein gehackt
60 g Sauerrahm
75 g geriebener Cheddarkäse
2 EL gehackter Schnittlauch
Meersalz und schwarzer Pfeffer aus der Mühle
1 Platte fertig gekaufter Blätterteig, falls tiefgekühlt aufgetaut
1 Ei, leicht verklopft

Den Ofen auf 180 Grad vorheizen. Das Hühnerfleisch mit Sauerrahm, Käse, Schnittlauch, Salz und Pfeffer mischen. Aus dem Blätterteig zwei Kreise von je 11 cm Durchmesser ausschneiden. Die Hühnermischung in zwei Souffléförmchen (je 250 ml Inhalt) verteilen und mit den Blätterteigkreisen abdecken. Den Teig mit dem verklopften Ei bestreichen und 20 Minuten backen, bis der Blätterteig goldbraun ist. ERGIBT 2 PORTIONEN.

MAROKKANISCH GEWÜRZTES LAMM

SCHMORGEMÜSE MIT MINZ-BASILIKUM-PESTO

Marokkanisch gewürztes Lamm

1 EL Olivenöl
1 EL eingelegte Zitronenschale*, gehackt
1 EL Zitronensaft
2 Knoblauchzehen, gepresst
½ Bund Koriander, grob gehackt
2 TL gemahlene Koriandersamen
1 TL geräuchertes Paprikapulver
Meersalz und schwarzer Pfeffer aus der Mühle
400 g Lammbraten aus der Lende
6 kleine Frühkartoffeln
3 Karotten, geschält und längs halbiert
7 ungeschälte Knoblauchzehen
1 EL Olivenöl für das Gemüse

Öl, Zitronenschale, Zitronensaft, Knoblauch, Koriandergrün und Korianderpulver, Paprikapulver, Salz und Pfeffer in der Küchenmaschine oder mit dem Pürierstab zu einer Paste verarbeiten. Den Ofen auf 180 Grad vorheizen. Die Paste dick auf den Lammbraten auftragen und 20 Minuten durchziehen lassen. Während das Lammfleisch mariniert, Kartoffeln, Karotten, die ungeschälten Knoblauchzehen, das zusätzliche Öl und etwas Salz in eine Auflaufform geben und 20 Minuten backen. Dann das Lammfleisch auf das Gemüsebett legen und 30–35 Minuten weiter schmoren oder so lange, bis das Fleisch nach Belieben gegart ist. Das Gemüse auf Teller verteilen, den Lammbraten in dicke Scheiben schneiden und auf dem Gemüse anrichten. ERGIBT 2 PORTIONEN.

Wir lieben das exotisch süße Aroma und das intensive Geschmackserlebnis, das schon eine Prise geräuchertes Paprikapulver vielen Gerichten verleiht. Paprikapulver wird aus getrockneten Paprikaschoten hergestellt und ist in leuchtenden Farben von feurigem Orange bis hin zu Blutrot erhältlich. Es lohnt sich, eine gute spanische Variante ausfindig zu machen. Doch Vorsicht bei der Verwendung: Weniger ist mehr. Verwenden Sie Paprikapulver eher sparsam!

Schmorgemüse mit Minz-Basilikum-Pesto

200 g Pastinaken, geschält, geviertelt
300 g orangefleischige Süßkartoffeln* (Kumara), geschält, geviertelt
200 g Fenchel, geviertelt
400 g Kartoffeln, geschält, geviertelt
1 EL Olivenöl
8 Thymianzweige
Meersalz und schwarzer Pfeffer aus der Mühle
250 g Kirschtomaten
120 g grüne Oliven
zarter, junger Blattspinat zum Servieren
Für den Pesto:
2 EL gehackte Minzeblätter
2 EL gehackte Basilikumblätter
20 g Parmesan, gerieben
2 EL Olivenöl

Für den Pesto Minze, Basilikum, Parmesan und Öl verrühren. Den Ofen auf 200 Grad vorheizen. Pastinaken, Süßkartoffeln, Fenchel und Kartoffeln in eine Auflaufform geben, Öl, Thymian, Salz und Pfeffer hinzufügen und alles gut mischen. Das Gemüse 20 Minuten im Ofen backen, dann Tomaten und Oliven dazugeben und weitere 20 Minuten backen. Das Schmorgemüse auf die Teller verteilen, mit dem frischen Blattspinat und dem Pesto als Dressing servieren. ERGIBT 2 PORTIONEN.

Gebackene Knoblauch-Muscheln mit Couscous

150 g Instant-Couscous*
3 Knoblauchzehen, gepresst
1 EL geriebener Ingwer
180 ml kochendes Wasser
30 g Butter, flüssig
1 kg Miesmuscheln, gewaschen und geputzt
1 Bund Koriander
Limettenhälften zum Servieren

Den Ofen auf 180 Grad vorheizen. Das Couscous auf dem Boden einer Auflaufform verteilen. Knoblauch und Ingwer in das kochende Wasser geben und alles über den Couscous gießen. Mit der geschmolzenen Butter beträufeln und die Muscheln daraufsetzen. Die Auflaufform fest mit einem Deckel oder mit Alufolie verschließen und alles 20 Minuten backen oder so lange, bis die Muscheln sich geöffnet haben (geschlossene Muscheln entfernen, sie sind verdorben). Muscheln und Couscous mit Korianderblättern bestreut servieren, dazu Limettenhälften reichen. ERGIBT 2 PORTIONEN.

GEBACKENE KNOBLAUCH-MUSCHELN MIT COUSCOUS

Blätterteigtartes mit mariniertem Gemüse

1 rechteckige Platte fertig gekaufter Blätterteig, falls tiefgekühlt aufgetaut
300 g fertig gekauftes mariniertes Gemüse (z.B. Auberginen, Paprika, getrocknete Tomaten, Pilze, Zucchini, Artischockenherzen), abgetropft
2 TL Oreganoblätter
110 g Feta oder weicher Ziegenkäse, grob zerkleinert
Olivenöl zum Beträufeln

Den Ofen auf 180 Grad vorheizen. Den Teig halbieren und die beiden Stücke nebeneinander auf ein mit Backpapier belegtes Blech setzen. Das marinierte Gemüse auf den Teig geben, mit dem Oregano bestreuen und den Käse darauf verteilen. Mit Olivenöl beträufeln und 18–20 Minuten backen, bis der Teig aufgegangen und goldbraun ist. Warm oder kalt servieren. ERGIBT 2 PORTIONEN.

Geschmortes Huhn mit Kräutern und Knoblauch

1 kleines Hühnchen, in Stücke zerteilt
60 g weiche Butter
2 EL gehackte glattblättrige Petersilie
2 EL Zitronenthymianblätter
Meersalz und schwarzer Pfeffer aus der Mühle
8 Knoblauchzehen, ungeschält
gedämpftes grünes Gemüse zum Servieren

Den Ofen auf 200 Grad vorheizen. Die Hühnerteile in eine mit Backpapier ausgelegte Auflaufform geben. Die weiche Butter mit Petersilie, Thymian, Salz und Pfeffer verrühren und die Hühnerteile damit einreiben. Die Knoblauchzehen mit in die Form geben und alles 30 Minuten backen oder so lange, bis das Hühnerfleisch durchgegart und schön gebräunt ist. Mit gedämpftem Gemüse servieren. ERGIBT 2 PORTIONEN.

Zucchini-Pie

10 Blätter Filo- oder Strudelteig
flüssige Butter zum Bestreichen
2 Zucchini, gerieben
4 Eier, leicht verklopft
180 ml Rahm
60 g geriebener Cheddarkäse
Meersalz und schwarzer Pfeffer aus der Mühle

Den Ofen auf 180 Grad vorheizen. Jeweils 2 Teigblätter mit geschmolzener Butter bestreichen, aufeinanderlegen und damit zwei kleine ofenfeste Auflaufformen (je 430 ml Inhalt) auslegen. Die geraspelte Zucchini mit Eiern, Rahm, Käse, Salz und Pfeffer verrühren und die Mischung in die beiden Förmchen verteilen. Die restlichen Teigblätter mit Butter bestreichen, jeweils zur Hälfte zusammenlegen, behutsam zusammendrücken und auf die Zucchinifüllung geben. Den Zucchini-Pie 35–40 Minuten backen, bis die Füllung fest und der Teig goldbraun ist. ERGIBT 2 PORTIONEN.

Gebackener Fisch mit Pommes frites

1 kg Kartoffeln, von Hand zu dicken Pommes frites geschnitten
2 Zitronen, geviertelt
1 EL Olivenöl
1 EL Zitronenthymianblätter
Meersalz und schwarzer Pfeffer aus der Mühle
2 feste weißfleischige Fischfilets à 180 g
20 g Butter, flüssig
2 Knoblauchzehen, in Scheiben geschnitten
1 TL Zitronenthymianblätter zusätzlich

Den Ofen auf 200 Grad vorheizen. Kartoffeln und Zitronenviertel mit Öl, Zitronenthymian, Salz und Pfeffer vermischen und in eine mit Backpapier ausgelegte Auflaufform geben. 45 Minuten backen, bis die Kartoffeln goldbraun und knusprig sind; dabei einmal wenden. In der Zwischenzeit die Butter mit den Knoblauchscheiben und dem zusätzlichen Zitronenthymian vermischen. Die durchgegarten Kartoffeln am einen Ende der Form zusammenschieben, den Fisch in die Form legen, mit der Knoblauchbutter bestreichen und 10 Minuten backen, bis er durchgegart ist. ERGIBT 2 PORTIONEN.

BROTSALAT MIT GEBACKENEM HALOUMI

LAMMBRATEN MIT QUITTENGLASUR

Brotsalat mit gebackenem Haloumi

4 dicke Scheiben Sauerteig- oder anderes Brot, mundgerecht zerkleinert
8 ungeschälte Knoblauchzehen
250 g Haloumi*, in Stücke gerissen
200 g Dattel- oder Kirschtomaten, mit einem spitzen Messer eingeritzt
2 EL Olivenöl
1 Prise Chiliflocken
je 1 Bund glattblättrige Petersilie und Minze
1 EL Zitronensaft
1 EL Olivenöl zusätzlich zum Anrichten

Den Ofen auf 180 Grad vorheizen. Brot, Knoblauch, Käse und Tomaten in eine Auflaufform geben. Das Öl und die Chiliflocken verrühren, darüberträufeln und anschließend alles 20 Minuten backen. Dann die Brot-Tomaten-Mischung gut durchrühren und weitere 10 Minuten backen. Die Form aus dem Ofen nehmen und die Brotmischung in eine Schüssel füllen. Petersilie, Minze, Zitronensaft und das zusätzliche Olivenöl dazugeben und gut mischen. ERGIBT 2 PORTIONEN.

Haloumi ist ein fester, weißer Käse aus Zypern. Er wird aus Schafmilch hergestellt und hat eine fasrige Konsistenz. Selbst beim Braten und Grillen behält er seine Form. Er eignet sich ausgezeichnet für Kebabs und Salate. Falls Sie keinen Haloumi bekommen, können Sie ihn auch durch festen Feta ersetzen.

Lammbraten mit Quittenglasur

4 Karotten, geschält, längs geviertelt
3 Rosmarinzweige
2 EL brauner Zucker
Meersalz
2 Lendenfilets vom Lamm à 200 g
75 g Quittenpaste
12 Scheiben Speck (Pancetta*)

Den Ofen auf 200 Grad vorheizen. Karotten, Rosmarin, Zucker und Salz in einer mit Backpapier ausgelegten Auflaufform gut mischen und 45 Minuten im Ofen backen. Das Lammfleisch mit der Quittenpaste bestreichen. Jeweils 6 Scheiben Speck leicht überlappend auf einem Küchenbrett auslegen, eines der Lammfilets daraufsetzen und in den Speck einwickeln. Mit dem restlichen Speck und dem zweiten Lammfilet ebenso verfahren. Die beiden Lammfilets auf das Karottenbett setzen und im Ofen 12–15 Minuten backen, bis das Fleisch medium durchgegart ist oder länger, nach Belieben. Das Lammfleisch in dicke Scheiben aufschneiden und mit den Karotten servieren. ERGIBT 2 PORTIONEN.

Mit Mozzarella überbackenes Huhn

250 g Kirschtomaten, halbiert
75 g schwarze Oliven, entsteint
1 EL Olivenöl
4 dicke Scheiben Mozzarella
8 Basilikumblätter
2 Hühnerbrustfilets à 200 g, längs halbiert
8 Scheiben Speck (Pancetta*)
nach Belieben grüner Salat zum Servieren

Den Ofen auf 200 Grad vorheizen. Kirschtomaten, Oliven und Olivenöl in eine mit Backpapier ausgelegte Auflaufform geben und 10 Minuten backen, bis die Tomaten weich sind. Auf jedes Hühnerbrustfilet 1 Scheibe Mozzarella und 2 Basilikumblätter legen und das Fleisch in jeweils 2 Scheiben Speck einwickeln. Die Fleischpäckchen auf die Schmortomaten setzen und 12–15 Minuten schmoren, bis das Fleisch durchgegart ist. Nach Belieben mit grünem Salat servieren. ERGIBT 2 PORTIONEN.

MIT MOZZARELLA ÜBERBACKENES HUHN

TURBO REZEPTE 5

Gemüsebeilagen

Die richtige Gemüsebeilage kann einem einfachen Gericht einen kulinarischen Kick geben, genauso wie ein gut gewähltes Accessoire den Kleidungsstil unterstreichen kann. Wir haben bewährte Beilagenklassiker aufgefrischt und einige neue Geschmackskombinationen entwickelt, die altbekanntem Gartengemüse einen ganz neuen Auftritt ermöglicht.

Kartoffel-Pilz-Püree

RECHTS: 1,2 kg Kartoffeln schälen und grob zerkleinern, in reichlich Salzwasser mit 2 EL grob zerkleinerten, getrockneten Steinpilzen bei hoher Temperatur zum Kochen bringen und 15 Minuten köcheln lassen, bis die Kartoffeln gar sind. Abgießen, die Kartoffeln und Pilze mit 80 g Butter, 125 ml Milch, Meersalz und schwarzem Pfeffer aus der Mühle zerstampfen. Passt zu gegrilltem oder gebratenem Fleisch, zu Huhn und Eintöpfen. **ERGIBT 4 PORTIONEN.**

Einfacher Kartoffelkuchen

UNTEN: 1 kg Kartoffeln schälen, zerkleinern und in einer ofenfesten Pfanne mit Wasser bedeckt 8 Minuten köcheln lassen. Dann abgießen, gut abtropfen lassen und die Kartoffeln zurück in die Pfanne geben. 1 EL Olivenöl, 30 g Butter, 1 TL gehackte Rosmarinnadeln, Meersalz und schwarzen Pfeffer aus der Mühle hinzufügen, vermischen und mit einer Gabel leicht zerquetschen. Bei 200 Grad im vorgeheizten Ofen 30 Minuten überbacken. Vor dem Servieren in Stücke schneiden. **ERGIBT 4 PORTIONEN.**

Die schlichte und unscheinbare Knolle erscheint in vielen unterschiedlichen Verkleidungen immer wieder anders – vom eleganten, cremigen Püree über rustikale Rösti bis hin zum trendigen Kuchen.

Pastinaken-Rosmarin-Rösti

OBEN: 600 g Kartoffeln und 250 g Pastinaken schälen, grob raspeln und mit 60 g flüssiger Butter, 2 TL gehacktem Rosmarin, Meersalz und schwarzem Pfeffer aus der Mühle vermischen. In 8 Portionen aufgeteilt ein mit Backpapier belegtes Blech setzen, flachdrücken und im vorgeheizten Ofen bei 180 Grad 35 Minuten backen, bis sich die Rösti goldbraun färben und knusprig sind. Passt als Beilage zu gegrilltem oder gebratenem Fleisch, zu Huhn, Gemüse oder Meeresfrüchten. **ERGIBT 4 PORTIONEN.**

Weiße-Bohnen-Püree

LINKS: 1 kg Kartoffeln schälen, in Salzwasser gar kochen, abgießen und zurück in den Topf geben. Bei niedriger Temperatur 60 g Butter, 2 EL Milch, 1 TL gehackte Rosmarinnadeln und Meersalz hinzufügen und die Kartoffeln zerstampfen. 400 g Cannellini- oder Dicke Bohnen aus der Dose, abgespült und abgetropft, dazugeben und grob zerstampfen. Mit Butter verfeinern. Passt zu Fleisch, Huhn, Gemüse oder Fisch und zu allen Gerichten mit viel Sauce.

ERGIBT 4 PORTIONEN.

Pikante Süßkartoffeln

RECHTS: 4 orangefleischige Süßkartoffeln* (Kumara) schälen und in Spalten schneiden. 80 ml Olivenöl mit 1 TL geräuchertem Paprikapulver, 1 TL gemahlenem Koriander und 1 TL braunem Zucker verrühren. Die Süßkartoffeln in einer mit Backpapier ausgelegten Auflaufform mit der Ölmischung bestreichen, salzen, pfeffern und bei 200 Grad im vorgeheizten Ofen 25 Minuten backen, bis sie weich sind. Passt zu gebratenem Fleisch oder Meeresfrüchten. **ERGIBT 4 PORTIONEN.**

Limetten-Chili-Mais

UNTEN: 50 g Butter, 1 TL abgeriebene Limettenschale, 1 Prise Chiliflocken, 2 TL gehackte Korianderblätter, Meersalz und schwarzer Pfeffer aus der Mühle in einem Topf zum Kochen bringen. Die Buttermischung auf 4 gargekochte Maiskolben streichen und diese mit der restlichen Butter als Beilage zu gegrilltem oder gebratenem Fleisch, Huhn, Gemüse oder Meeresfrüchten servieren. Passt auch hervorragend zu allem Gegrillten. **ERGIBT 4 PORTIONEN.**

Gemüse wird vom Neben- zum Hauptdarsteller, wenn frische Kräuter und pikante Gewürze ins Spiel kommen. So setzt es einfachem Grillfleisch oder Gebratenem ein Glanzlicht auf.

Gebackene Polenta-Chips

OBEN: 750 ml Hühnerbrühe und 375 ml Wasser zum Kochen bringen. Nach und nach 250 g Instant-Polenta einrühren und unter Rühren weich garen. 40 g geriebenen Parmesan darunterrühren. Den Brei auf einem mit Backpapier belegten Blech verteilen und fest werden lassen. Dann die feste Masse in Stäbchenform schneiden, mit geschmolzener Butter bestreichen und im vorgeheizten Ofen bei 200 Grad 35 Minuten goldbraun und knusprig backen. **ERGIBT 4 PORTIONEN.**

Geschmorter Kürbis

LINKS: In einer beschichteten Pfanne bei mittlerer Temperatur 30 g Butter schmelzen und darin 6 Scheiben geschälten Kürbis von jeder Seite 2 Minuten anbraten. 50 g zusätzliche Butter, 60 ml Ahornsirup*, Meersalz und schwarzen Pfeffer aus der Mühle hinzufügen und alles mit Backpapier bedecken. 10–12 Minuten köcheln lassen. Das Papier entfernen, 60 ml Wasser dazugeben und weitere 1–2 Minuten köcheln lassen, bis die Flüssigkeit eindickt. **ERGIBT 4 PORTIONEN.**

Bohnen mit Zwiebeln und Knoblauch

RECHTS: 40 g Butter und 1 EL Olivenöl bei mittlerer bis hoher Temperatur erhitzen. 2 Zwiebeln (Ringe) darin 5 Minuten goldbraun dünsten. 4 Knoblauchzehen (Scheiben) hinzufügen und 1 Minute mitdünsten. 400 g abgespülte und abgetropfte Weiße Bohnen aus der Dose dazugeben und 4 Minuten mitschmoren, 150 g zarten, jungen Blattspinat darunterheben, salzen, pfeffern und mit geriebenem Parmesan bestreuen.
ERGIBT 4 PORTIONEN.

Spinat mit Mozzarella

UNTEN: 3 Bund Spinat entstielen. 30 g Butter in einer großen Pfanne bei mittlerer Temperatur schmelzen. 2 durchgepresste Knoblauchzehen und 1 TL abgeriebene Zitronenschale 1 Minute darin anbraten, den Spinat dazugeben und andünsten, bis er zusammenfällt. In 4 gefettete Souffléförmchen verteilen, in die Mitte jeweils 30 g Mozzarella geben und im vorgeheizten Ofen bei 180 Grad 10 Minuten backen, bis der Mozzarella geschmolzen und leicht gebräunt ist. **ERGIBT 4 PORTIONEN.**

Gemüse ist immer ein Genuss, wenn es knackig und aromatisch ist und auf dem Teller einen Überraschungseffekt landet. Von diesen Gerichten werden Ihre Gäste sicher einen Nachschlag verlangen.

Schlangenbohnen mit Chili und Ingwer

OBEN: Eine tiefe Pfanne oder einen Wok bei mittlerer bis hoher Temperatur erhitzen, in 2 TL Sesamöl, 1 EL geriebenen Ingwer, 2 fein geschnittene große rote Chilis und 2 geschnittene Knoblauchzehen 1 Minute darin anbraten. 400 g geputzte und halbierte Schlangen- oder grüne Bohnen, 60 ml Hühner- oder Gemüsebrühe und 1 TL Sojasauce dazugeben und unter Rühren 4–5 Minuten garen. Passt zu Fleisch, Huhn, Gemüse oder Fisch sowie zu Currys. **ERGIBT 4 PORTIONEN.**

Brokkoli oder Blumenkohl mit Zitrone und Knoblauch

LINKS: Den Ofen auf 180 Grad vorheizen. 1 kg Brokkoli- oder Blumenkohlröschen, 1 in Spalten geschnittene Zitrone, 2 EL Olivenöl, 8 ungeschälte Knoblauchzehen, 8 geschälte Schalotten, grobes Meersalz und schwarzen Pfeffer aus der Mühle in einer mit Backpapier ausgelegten Auflaufform vermischen und 40 Minuten backen. Zu gegrilltem oder gebratenem Fleisch, Huhn oder Meeresfrüchten servieren oder zu einem Gemüsesalat weiterverarbeiten. **ERGIBT 4 PORTIONEN.**

FÜR JETZT UND SPÄTER

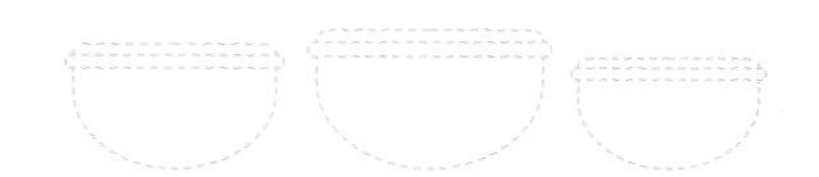

Das Einfrieren von Gerichten habe ich immer belächelt. Aber jetzt, wo ich selbst eine berufstätige Mutter bin, hat der Gedanke, das Essen einfach aus dem Tiefkühler holen zu können, doch einen gewissen Charme. Also haben wir »Tiefkühlgerichte« entwickelt, die aufgetaut ebenso gut und aromatisch schmecken wie frisch gekocht.

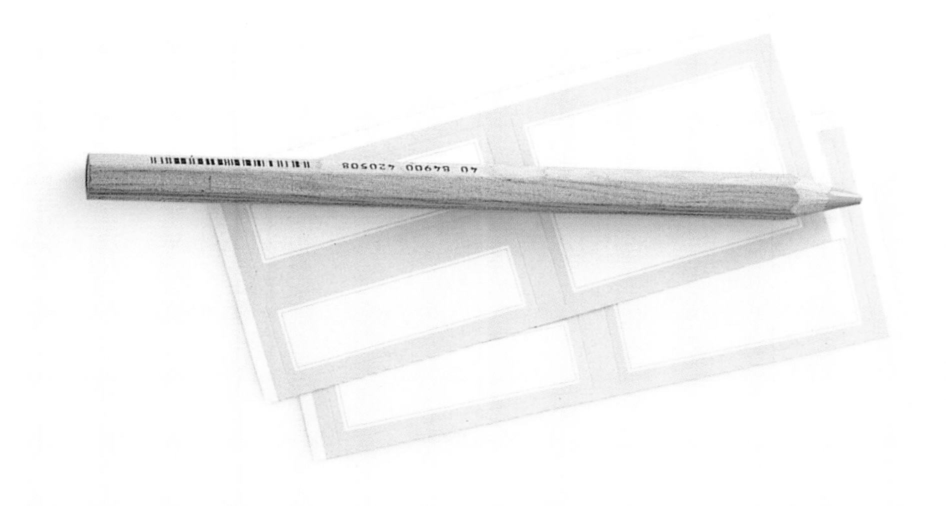

KLEINE RINDFLEISCH-PIES

BROKKOLISUPPE MIT SPECK

Kleine Rindfleisch-Pies

2 EL Olivenöl
1 kg Rinderkamm, gewürfelt
2 Zwiebeln, klein gewürfelt
2 Knoblauchzehen, gepresst
4 Thymianzweige
2 Lorbeerblätter
375 ml Bier
8 kleine Frühkartoffeln, geviertelt
500 ml Rinderbrühe
2 EL Speisestärke (Maisstärke), in 2 EL Wasser angerührt
120 g frische oder tiefgekühlte Erbsen
2 Platten fertig gekaufter Mürbteig (jeweils 25 x 25 cm)
1 Ei, verklopft, zum Bestreichen

Das Öl in einem Topf bei mittlerer bis hoher Temperatur erhitzen und darin das gewürfelte Rindfleisch portionsweise anbraten, bis es gut gebräunt ist. Dann das Fleisch mit einem Schaumlöffel herausnehmen und beiseite stellen. Zwiebeln, Knoblauch, Thymian und Lorbeerblätter in demselben Topf 3 Minuten andünsten, bis die Zwiebel glasig ist. Dann das Bier hinzufügen und einige Minuten einkochen lassen. Das Rindfleisch zusammen mit den Kartoffeln und der Brühe zurück in den Topf geben und alles zugedeckt bei niedriger Temperatur 1 Stunde leise köcheln lassen, bis das Rindfleisch gar und zart ist. Die angerührte Speisestärke unter das Rindfleisch rühren und 3 Minuten aufkochen, bis die Sauce eindickt. Den Topf vom Herd nehmen, die Erbsen hinzufügen und die Rindfleischmischung etwas abkühlen lassen. Dann in 6 Auflaufförmchen (je 330 ml Inhalt) verteilen. Den Ofen auf 200 Grad vorheizen. Den Mürbteig etwas grösser als die Förmchen zuschneiden, als Deckel auf die Fleischfüllung setzen und mit dem verklopften Ei bestreichen. Die Pies 20 Minuten backen, bis der Teig goldbraun ist. Zum Einfrieren die Pies in Backpapier, dann in Alufolie und zuletzt in Frischhaltefolie hüllen. Hält sich tiefgekühlt bis zu 3 Monate.
ERGIBT 2 PORTIONEN FÜR JETZT UND 4 FÜR SPÄTER.

Gerichte, die viel Flüssigkeit enthalten, eignen sich besonders gut zum Einfrieren, denn so bleiben die Zutaten nach dem Auftauen und Erhitzen schön saftig und voller Aroma. Deshalb sind Aufläufe ebenso ideale Tiefkühlgerichte wie Geschmortes, Eintöpfe, Currys und Suppen.

Brokkolisuppe mit Speck

1 Zwiebel, gehackt
4 Scheiben Frühstücksspeck, gewürfelt
400 g Kartoffeln, geschält, gewürfelt
1 l Hühnerbrühe
400 g Brokkoli, klein gehackt
2 EL fein geschnittene Minze
Meersalz und schwarzer Pfeffer aus der Mühle

Zwiebel und Speck in einem großen Topf 5 Minuten andünsten, herausnehmen und beiseite stellen. Die Kartoffeln und die Brühe im gleichen Topf zum Kochen bringen, den Brokkoli dazugeben und alles 8–10 Minuten köcheln lassen, bis Brokkoli und Kartoffeln weich sind. Die Suppe im Mixer oder mit dem Pürierstab pürieren. Die Zwiebel-Speck-Mischung und die Minze dazugeben, salzen und pfeffern. Zum Einfrieren die Suppe in einen luftdicht verschließbaren Behälter füllen. Hält sich tiefgekühlt bis zu 3 Monate. ERGIBT 2 PORTIONEN FÜR JETZT UND 2 FÜR SPÄTER.

Kürbis-Ricotta-Lasagne mit Basilikum

1,2 kg Ricotta*
160 g Parmesan, gerieben
je 1 Bund Schnittlauch und Basilikum, gehackt
1 EL abgeriebene Zitronenschale
Meersalz und schwarzer Pfeffer aus der Mühle
½ Bund Oregano, grob gehackt
1¼ l passierte Tomaten
600 g Lasagneblätter
1½ kg Kürbis, geschält, dünn geschnitten
100 g Mozzarella, gerieben

Den Ofen auf 180 Grad vorheizen. Den Ricotta, die Hälfte des geriebenen Parmesans, Schnittlauch, Basilikum, Zitronenschale, Salz und Pfeffer gut verrühren. Den Oregano unter die passierten Tomaten rühren. In eine gefettete Auflaufform (ca. 20 x 35 cm) eine Lage Lasagneblätter legen, ein Drittel der Kürbisscheiben darauf verteilen, mit einem Drittel der passierten Tomaten bedecken und ein Drittel der Ricottamischung darauf verteilen. So fortfahren, bis alle Zutaten aufgebraucht sind; dabei mit einer Schicht Lasagneblätter und der restlichen Ricottamischung abschließen. Die Lasagne mit dem geriebenen Mozzarella und dem restlichen Parmesan bestreuen. Mit Alufolie abgedeckt 1½ Stunden backen. Dann die Folie entfernen und die Lasagne weitere 15 Minuten backen, bis sich der Käse goldbraun färbt. Heiß genießen und den Rest einfrieren. Tiefgekühlt bis zu 3 Monate haltbar. ERGIBT 2 PORTIONEN FÜR JETZT UND 6 FÜR SPÄTER.

KÜRBIS-RICOTTA-LASAGNE MIT BASILIKUM

Spinat-Ricotta-Kuchen mit Dill

4 Lagen fertig gekaufter Mürbteig
(jeweils ca. 25 x 25 cm), aufgetaut
Für den Spinat-Ricotta-Belag:
250 g tiefgekühlter Spinat, aufgetaut
600 g Ricotta*
3 Eier
40 g Parmesan, gerieben
2 Frühlingszwiebeln, fein geschnitten
2 EL grob gehackte glattblättrige Petersilie
2 EL grob gehackter Dill
Meersalz und schwarzer Pfeffer aus der Mühle

Den Ofen auf 180 Grad vorheizen. Den Teig so zuschneiden, dass er 4 flache Formen (je 250 ml Inhalt) auskleidet und noch etwas überhängt. Für den Belag das überschüssige Wasser aus dem Spinat ausdrücken, Spinat, Ricotta, Eier, Parmesan, Frühlingszwiebeln, Dill, Salz und Pfeffer gut vermischen. Den Belag in die mit Teig ausgekleideten Formen verteilen und im vorgeheizten Ofen 30 Minuten backen, bis er fest ist. Zum Einfrieren die Kuchen zuerst in Backpapier, dann in Alufolie und zuletzt noch in Frischhaltefolie hüllen. Der Kuchen hält sich tiefgekühlt bis zu 3 Monate. ERGIBT 2 PORTIONEN FÜR JETZT UND 2 FÜR SPÄTER.

Huhn-Koriander-Curry

1 Zwiebel, gehackt
1 EL geriebener Ingwer
2 Knoblauchzehen, gehackt
40 g Koriandergrün und 3 Korianderwurzeln, gesäubert
2 TL Fischsauce*
4 Kaffirlimettenblätter*
4 große grüne Chilis, grob gehackt
2 EL Pflanzenöl
8 Hühnerschenkelfilets à 140 g, ausgelöst, gedrittelt
125 ml Hühnerbrühe
250 ml Kokosmilch
200 g Bohnen, geputzt, halbiert

Alle Würzzutaten bis und mit Chili im Mixer zu einer groben Paste verarbeiten. Das Öl in einer beschichteten Pfanne bei mittlerer Temperatur erhitzen und darin die Paste unter gelegentlichem Rühren 5 Minuten anbraten. Dann das Hühnerfleisch dazugeben und in der Paste wenden. Brühe und Kokosmilch dazugießen und zum Kochen bringen, dann bei niedrigerer Temperatur ohne Deckel 20 Minuten köcheln lassen. Die Bohnen hinzufügen und weitere 5 Minuten köcheln lassen. Hält sich tiefgefroren bis zu 3 Monate. ERGIBT 2 PORTIONEN FÜR JETZT UND 2 FÜR SPÄTER.

Lammauflauf mit knuspriger Kartoffelkruste

1 EL Olivenöl
1 Zwiebel, grob gehackt
750 g Lammhackfleisch
625 ml Rinderbrühe
1 EL gehackte Rosmarinnadeln
2 EL Dijonsenf und 2 EL Honig
2 Pastinaken, geschält, klein gewürfelt
120 g frische oder tiefgekühlte Erbsen
500 g mehlige Kartoffeln, geschält, fein geschnitten
30 g flüssige Butter zum Bestreichen

Den Ofen auf 190 Grad vorheizen. Eine beschichtete Pfanne erhitzen, das Öl hineingeben und darin die Zwiebel 4 Minuten glasig dünsten. Das Lammhackfleisch hinzufügen und unter Rühren 5 Minuten anbraten, bis es schön gebräunt ist. Brühe, Rosmarin, Senf, Honig und Pastinaken dazugeben und 20–25 Minuten köcheln lassen, bis das Fleisch und die Pastinaken gar sind und die Sauce leicht eingedickt ist. Die Erbsen darunterrühren und die Mischung in 4 flache Auflaufformen verteilen. Die Kartoffelscheiben darauflegen und mit Butter bestreichen. Im Ofen 35–40 Minuten knusprig backen. Hält sich tiefgefroren bis zu 3 Monate. ERGIBT 2 PORTIONEN FÜR JETZT UND 2 FÜR SPÄTER.

Ossobucco mit Kräutern

8 Haxenscheiben vom Kalb à 200 g, mit Knochen
Mehl zum Bestäuben
1½ EL Olivenöl
12 Frühlingszwiebeln, in Stücke geschnitten
1 l Hühnerbrühe
250 ml trockener Weißwein
2 Sellerieknollen, geschält, gewürfelt
600 g Kartoffeln, geschält, gewürfelt
je 4 Lorbeerblätter und Salbeizweige
8 Thymianzweige
4 große Stücke Zitronenschale
Meersalz und schwarzer Pfeffer aus der Mühle

Den Ofen auf 160 Grad vorheizen. Die Haxenscheiben mit Mehl bestäuben. Das Öl in einer schweren Schmorpfanne erhitzen, darin die Haxenscheiben von jeder Seite 3–4 Minuten anbraten, bis das Fleisch schön gebräunt ist. Alle anderen Zutaten dazugeben und alles zugedeckt 2 Stunden im Ofen schmoren lassen, bis das Fleisch gar und schön zart ist. Zum Einfrieren 4 Haxenscheiben und die Hälfte des Gemüses in einen luftdicht verschließbaren Behälter füllen. Hält sich tiefgefroren bis zu 3 Monate.
ERGIBT 2 PORTIONEN FÜR JETZT UND 2 FÜR SPÄTER.

HÜHNER-STEINPILZ-PASTETCHEN

LAMMKEULCHEN MIT ZITRONE

Hühner-Steinpilz-Pastetchen

20 g getrocknete Steinpilze
60 ml kochendes Wasser
2 EL Olivenöl
1 Zwiebel, in Ringe geschnitten
1 Knoblauchzehe, gepresst
3 Hühnerschenkelfilets à 140 g, gewürfelt
2 EL Mehl
250 ml Hühnerbrühe
90 g frische oder tiefgekühlte Erbsen
1 Bund glattblättrige Petersilie, grob gehackt
6 Lagen fertig gekaufter Blätterteig, falls tiefgekühlt aufgetaut
1 Ei, leicht verklopft, zum Bestreichen
Zwiebelringe und Rucola zum Servieren

Den Ofen auf 200 Grad vorheizen. Die Steinpilze mit dem kochenden Wasser übergießen und 10 Minuten ziehen lassen. Dann abgießen und dabei den Sud auffangen. Die Pilze klein schneiden. Das Öl in einer großen Pfanne erhitzen, darin Zwiebel und Knoblauch unter Rühren 2 Minuten andünsten. Das Hühnerfleisch dazugeben und weitere 2 Minuten braten, dann mit dem Mehl bestäuben, Steinpilze, Pilzsud und Brühe dazugeben und alles 10 Minuten köcheln lassen, bis die Sauce eindickt. Erbsen und Petersilie einrühren, die Pfanne vom Herd nehmen und den Inhalt abkühlen lassen. Aus dem Blätterteig 12 Rechtecke von etwa 10 x 12 cm ausschneiden. 6 der Rechtecke auf ein mit Backpapier belegtes Blech setzen und die Hühnerfleischmischung darauf verteilen. Die Teigränder mit verklopftem Ei bestreichen, mit den restlichen Teigplatten bedecken und an den Rändern fest zusammendrücken. Auf jedes Pastetchen einen Zwiebelring legen, mit Ei bestreichen und 18–20 Minuten backen, bis der Teig aufgegangen und goldbraun ist. Mit Rucola servieren. Zum Einfrieren die Pastetchen zuerst in Backpapier, dann in Alufolie und zuletzt in Frischhaltefolie hüllen. Hält sich tiefgekühlt 3 Monate. ERGIBT 2 PORTIONEN FÜR JETZT UND 2 FÜR SPÄTER.

Die beste Methode, um Gefrierbrand sowie unschöne vertrocknete Ecken zu vermeiden, besteht darin, das Gefriergut sorgfältig zu verpacken, bevor es in den Tiefkühler geht. Pastetchen und Ähnliches wickeln Sie, um sicherzugehen, vor dem Einfrieren zuerst in eine Lage Backpapier, dann in Alufolie und schließlich in Frischhaltefolie.

Lammkeulchen mit Zitrone

1 EL Olivenöl
8 Lammkeulen, an einem Ende von Fett und Fleisch befreit
2 Zwiebeln, in Spalten geschnitten
3 Rosmarinzweige und 6 Zitronenthymianzweige
2 EL eingelegte Zitronenschale*, grob gehackt
1 l Hühnerbrühe
250 ml trockener Weißwein
2 EL Dijonsenf
je 4 Kartoffeln und Karotten, geschält, halbiert
Meersalz und schwarzer Pfeffer aus der Mühle
Für die Kapern-Gremolata:
1½ Bund glattblättrige Petersilie, fein gehackt
1 EL Kapern, abgespült, fein gehackt
2 TL abgeriebene Zitronenschale

Alle Zutaten zur Gremolata mischen. Den Ofen auf 180 Grad vorheizen. Eine Schmorpfanne erhitzen, das Öl hineingeben und darin die Lammkeulen unter Wenden anbraten. Zwiebeln, Rosmarin, Thymian und Zitronenschale dazugeben und kurz mitschmoren. Brühe, Wein und Senf hinzufügen und alles zugedeckt 1 Stunde im Ofen schmoren lassen. Kartoffeln und Karotten dazugeben, salzen, pfeffern und zugedeckt weitere 40 Minuten schmoren. Den Deckel abnehmen und weitere 30 Minuten garen, bis das Fleisch durchgegart ist. Mit der Gremolata servieren. Hält sich eingefroren bis zu 3 Monate. ERGIBT 2 PORTIONEN FÜR JETZT UND 2 FÜR SPÄTER.

Schmortomatensuppe mit Minze

2½ kg reife Tomaten, halbiert
1½ Bund Oregano
Meersalz und schwarzer Pfeffer aus der Mühle
Olivenöl zum Beträufeln
500 ml Hühner- oder Gemüsebrühe
2 EL Balsamicoessig
1 EL Zucker
2 Bund gehackte Minze

Den Ofen auf 180 Grad vorheizen. Die Tomaten mit der Schnittseite nach oben auf ein mit Backpapier belegtes Blech setzen, mit den abgezupften Oreganoblättern bestreuen, salzen, pfeffern und mit Olivenöl beträufeln. 30 Minuten im Ofen schmoren. Dann die Tomaten mit dem Pürierstab oder im Mixer pürieren. Das Tomatenpüree mit Brühe, Essig und Zucker in einen Topf geben und bei mittlerer Temperatur 5 Minuten köcheln lassen. Vor dem Servieren die Minze darunterheben. Hält sich eingefroren bis zu 3 Monate. ERGIBT 2 PORTIONEN FÜR JETZT UND 2 FÜR SPÄTER.

SCHMORTOMATENSUPPE MIT MINZE

Lachs-Kartoffel-Puffer

600 g mehlig kochende Kartoffeln, geschält, gewürfelt
250 g geräuchter Lachs, in Stücke zerzupft
2 EL grob gehackter Dill
2 TL geriebener Meerrettich
1 EL abgeriebene Zitronenschale
1 Ei
Meersalz und schwarzer Pfeffer aus der Mühle
Mehl zum Bestäuben
1 EL Butter
1 EL Pflanzenöl
Zitronenmayonnaise (siehe Rezept Seite 116) und Rucola

Die Kartoffeln in Salzwasser 10–15 Minuten garen, abgießen und zerstampfen. Das Kartoffelpüree in einer Schüssel mit dem Räucherlachs, Dill, Meerrettich, Zitronenschale, Ei, Salz und Pfeffer verkneten. Aus dem Teig 8 Puffer formen und diese mit Mehl bestäuben. Butter und Öl in einer großen beschichteten Pfanne bei mittlerer bis hoher Temperatur erhitzen und darin die Kartoffelpuffer von jeder Seite 2 Minuten goldbraun backen. Dazu Zitronenmayonnaise, Rucola und Limettenhälften reichen. Hält sich eingefroren bis zu 3 Monate.

ERGIBT 2 PORTIONEN FÜR JETZT UND 2 FÜR SPÄTER.

Spinat-Ricotta-Cannelloni

500 g tiefgekühlter Spinat, aufgetaut, gut ausgedrückt
1 kg Ricotta*
2 Eier
1 Bund glattblättrige Petersilie, grob gehackt
60 g Parmesan, gerieben
Meersalz und schwarzer Pfeffer aus der Mühle
12 frische Lasagneblätter, in Rechtecke von 11 x 15 cm geschnitten
1 l passierte Tomaten
3 Knoblauchzehen, gepresst
1 Bund Basilikum, gehackt
100 g Mozzarella, gerieben

Den Ofen auf 180 Grad vorheizen. Spinat, Ricotta, Eier, Petersilie, 40 g Parmesan, Salz und Pfeffer gut verrühren. Die Mischung auf die Lasagneblätter verteilen, einrollen und die Rollen in eine gefettete Auflaufform legen. Die passierten Tomaten mit 250 ml Wasser, Knoblauch und Basilikum verrühren und über die Cannelloni gießen. Mit Alufolie abgedeckt 35 Minuten im Ofen backen. Dann die Folie entfernen, den restlichen Parmesan mit dem geriebenen Mozzarella vermischen, auf den Cannelloni verteilen und weitere 20 Minuten überbacken. Hält sich eingefroren bis zu 3 Monate.

ERGIBT 2 PORTIONEN FÜR JETZT UND 2 FÜR SPÄTER.

Kürbis-Kokos-Suppe

1½ l Hühner- oder Gemüsebrühe
1 EL Fischsauce*
4 Kaffirlimettenblätter*, einige Male eingeschnitten
1½ kg Kürbis, geschält, grob zerkleinert
300 ml Kokosmilch
1 Bund Koriander
1 große rote Chili, fein geschnitten, Limettenspalten und grob geschnittenen Schnittlauch zum Servieren

Die Brühe mit Fischsauce, Limettenblättern und Kürbis in einem großen Topf bei mittlerer Hitze zum Kochen bringen und 8–10 Minuten köcheln lassen, bis der Kürbis weich ist. Dann den Topf vom Herd nehmen, die Kaffirlimettenblätter herausfischen und die Suppe im Mixer oder mit dem Pürierstab pürieren. Dann die Suppe bei mittlerer Temperatur erhitzen, die Kokosmilch dazugeben und alles 3 Minuten durchwärmen, ohne jedoch zum Kochen zu bringen. Die Suppe in Schälchen verteilen, mit den abgezupften Korianderblättchen, Schnittlauch und den Chiliringen garniert servieren. Hält sich in einem luftdicht verschlossenen Behälter eingefroren 3 Monate.
ERGIBT 2 PORTIONEN FÜR JETZT UND 2 FÜR SPÄTER.

Lammhackbällchen mit Minze und Rosmarin

1 kg Lammhackfleisch
2 Knoblauchzehen, gepresst
3 EL fein gehackte Minze und Rosmarinnadeln
je 2 EL Dijonsenf und Honig
200 g Feta, zerbröselt
2 EL Olivenöl
250 g Rinderbrühe
750 ml passierte Tomaten
½ Bund Oregano, fein gehackt

Das Lammhackfleisch mit Knoblauch, Minze, Rosmarin, Senf, Honig und Feta gut verkneten und esslöffelgroße Teigportionen zu Bällchen formen. 1 EL Öl in einer großen Pfanne erhitzen und darin die Hälfte der Bällchen 3 Minuten von allen Seiten braten, bis sie rundum schön gebräunt sind. Dann im restlichen Öl die zweite Hälfte der Hackbällchen braten. Alle Hackbällchen wieder in die Pfanne geben, die Brühe und die passierten Tomaten hinzufügen und 12–15 Minuten in der Sauce köcheln lassen, bis die Hackbällchen durchgegart sind. Den Oregano darunterrühren und noch 1 weitere Minute köcheln lassen. Hält sich eingefroren 3 Monate. ERGIBT 2 PORTIONEN FÜR JETZT UND 2 FÜR SPÄTER.

TURBO REZEPTE 6

Snacks und Häppchen

Auch wenn abends Freunde auf ein Glas Wein oder zum Essen vorbeikommen, müssen Sie nicht gleich einen halben Tag zum Kochen freinehmen. Die folgenden Snacks und Häppchen lassen sich im Nu zubereiten. So bleibt Ihnen genug Zeit, um sich um Gläser und Servietten, Blumenschmuck und die passende Musik zu kümmern.

Martini-Oliven

RECHTS: 160 g grüne oder schwarze Oliven, 125 ml Gin, 2 TL Limettenzesten und 6 Wacholderbeeren mischen und zugedeckt mindestens 1 Stunde, besser über Nacht ziehen lassen. Die Oliven zum Servieren in eine Schale oder einen Teller mit hohem Rand geben, dabei nicht die ganze Marinade abgießen, so dass die Oliven noch mit etwas Gin-Mischung überzogen sind.

Mozzarellakugeln in Chiliöl

UNTEN: 6 kleine rote Chilis längs aufschneiden, mit 125 ml Olivenöl in einem kleinen Topf bei niedriger Temperatur erwärmen und 10 Minuten ganz leise köcheln lassen. Den Topf vom Herd nehmen und abkühlen lassen. 220 g Mini-Mozzarella-Kugeln mit dem Chiliöl übergießen und mindestens 1 Stunde, besser noch über Nacht ziehen lassen.

Geschickte Kombinationen von Aromen und Marinieren verwandeln vertraute oder geschmacklich wenig interessante Zutaten in eine kulinarische Überraschung. Chili, Knoblauch, Essig und Kräuter schaffen pikante Noten.

Marinierter Feta

OBEN: 80 ml Olivenöl in einem Topf bei niedriger Temperatur erwärmen, darin 4 in Scheiben geschnittene Knoblauchzehen, 4 TL Zitronenzesten und ¼ TL grob zerstoßenen schwarzen Pfeffer 2 Minuten warm werden lassen, dann beiseite stellen. 400 g Feta und 1 Bund Minze auf einem Teller anrichten, mit der abgekühlten Ölmischung übergießen und mindestens 10 Minuten, höchstens über Nacht ziehen lassen. Mit Crackers oder frischem Brot servieren.

Karamellisierte Artischockenherzen

LINKS: 8 ganze eingelegte Artischockenherzen halbieren und trockentupfen. 125 ml Balsamicoessig und 50 g Zucker in einer beschichteten Pfanne bei mittlerer Hitze 3–4 Minuten einkochen lassen, bis die Mischung eindickt. Die Artischocken dazugeben und in der Balsamicomischung wälzen. Mit Meersalz und schwarzem Pfeffer aus der Mühle abschmecken und mit Krustenbrot servieren.

Bohnen-Knoblauch-Dip

RECHTS: 2 EL Olivenöl in einem Topf bei niedriger Temperatur erwärmen und darin 4 fein geschnittene Knoblauchzehen 1–2 Minuten andünsten und beiseite stellen. 400 g Cannellini-Bohnen* aus der Dose abspülen und abtropfen lassen, grob zerkleinern, die Hälfte des Knoblauchöls, 60 ml Olivenöl, 1 EL Zitronensaft und Meersalz dazugeben und alles fein pürieren. Mit dem restlichen Knoblauchöl sowie Crackers oder Fladenbrot servieren.

Kichererbsenpuffer

UNTEN: 400 g abgespülte und abgetropfte Kichererbsen aus der Dose zusammen mit 1 TL gemahlenem Kreuzkümmel, 1 TL gemahlenem Koriander, 1 Ei, 1½ Bund glattblättriger Petersilie, Meersalz und schwarzem Pfeffer im Mixer oder mit dem Pürierstab grob pürieren. Den Teig zu Puffern formen und diese in heißem Olivenöl goldbraun ausbacken. Mit fertiggekauftem Tsatsiki*, Fladenbrot und Zitronenspalten servieren.

ERGIBT 4 PORTIONEN.

Die fabelhaften Aromen der Mittelmeerküche standen Pate für diese Dips, Aufstriche und Puffer. Sie sind in Minuten zubereitet und feiern mit Crackers, Weißbrot oder Fladenbrot einen glänzenden Auftritt.

Joghurt-Feta-Dip

OBEN: 280 g Naturjoghurt mit 200 g zerbröseltem Feta, 1 durchgepressten Knoblauchzehe, 2 TL Zitronensaft und 2 EL fein gehackter Minze vermischen. Mit dünn geschnittenem türkischem Brot servieren. Dieser Dip kann 24 Stunden im Voraus zubereitet und bis zum Servieren zugedeckt im Kühlschrank aufbewahrt werden.

Schneller Hummus

LINKS: 400 g abgespülte und abgetropfte Kichererbsen oder Cannellini-Bohnen* aus der Dose mit 70 g Tahinipaste*, 1 durchgepressten Knoblauchzehe, 1 EL Zitronensaft, Meersalz und 60 ml Wasser fein pürieren. Vor dem Servieren mit Olivenöl beträufeln und mit Paprikapulver, Gewürzsumach* oder Chilipulver bestreuen.

Knusprige Enten-Wantans

RECHTS: Von einer fertig gekauften Asia-Grill-Ente 300 g Fleisch auslösen, fein zerkleinern und mit 2 EL Hoisinsauce*, 1 EL Pflaumensauce und 2 fein gehackten Frühlingszwiebeln vermischen. Esslöffelgroße Portionen der Mischung auf 12 Wantan-Teigblätter* setzen, die Ränder mit Einweiß bestreichen, mit jeweils einem weiteren Teigblatt bedecken und die Ränder fest zusammenpressen. Mit Pflanzenöl bestreichen und bei 180 Grad 8 Minuten knusprig backen. **ERGIBT 12 STÜCK.**

Schweinefiletröllchen

UNTEN: Eine beschichtete Pfanne erhitzen. 240 g Schweinefilet mit Sesamöl bestreichen, mit 1 EL Fünf-Gewürze-Pulver* und Meersalz bestreuen und von jeder Seite 2 Minuten braten. Die Hitze reduzieren und zugedeckt 5–7 Minuten weiter schmoren. 10 fertig gekaufte chinesische Pfannkuchen erwärmen, mit aufgeschnittenem Fleisch und fein geschnittenen Frühlingszwiebeln belegen, mit Hoisinsauce* beträufeln und zusammenrollen. Mit Gurkenstreifen und Hoisinsauce servieren. **ERGIBT 10 STÜCK.**

Fingerfood hat in Asien eine lange Tradition. Pikante Häppchen gehören dort zu jeder Mahlzeit oder werden einfach zwischendurch genossen, um den kleinen Hunger zu vertreiben.

Thai-Wantan-Körbchen mit Huhn

OBEN: 12 Wantan-Teigblätter* mit Öl bestreichen, mit Sesamsamen bestreuen und in kleine Muffinformen drücken. Im vorgeheizten Ofen bei 180 Grad etwa 7 Minuten goldbraun backen. 50 g braunen Zucker mit 1 EL Limettensaft, 2 EL Fischsauce* und 2 EL Wasser erhitzen. 160 g gegartes, zerkleinertes Hühnerfleisch dazugeben. Koriander-, 2 Kaffirlimettenblätter* und 1 rote Chilischote fein schneiden, darunterrühren und in die Förmchen verteilen. **ERGIBT 12 STÜCK.**

Wasabibohnen

LINKS: 400 g tiefgekühlte Sojabohnen in kochendem Salzwasser 6–8 Minuten garen, abgießen und aus den Hülsen drücken. 30 g Butter mit 2–3 TL Wasabipaste*, 1 TL Wasser und Meersalz in einer großen beschichteten Pfanne bei mittlerer Temperatur erwärmen, bis die Butter geschmolzen ist. Die Sojabohnen darin wenden und warm in kleinen Schälchen servieren. **ERGIBT 4 PORTIONEN.**

REMOVE LID TO PRESERVE THE CREAM
PASTEURISED
Special
NURSERY MILK
Phone HAW.2154
White's Dairy
NORTH KEW
FROM OUR OWN FARM

SCHNELLE DESSERTS

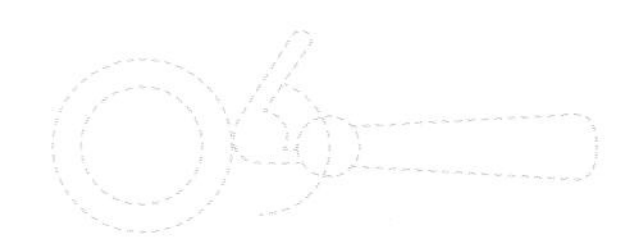

Stress macht Lust auf Süßes. Ein sensationelles süßes Finale kann die Hektik eines langen Tages vergessen machen. Noch besser: Starten Sie schon süß in den Tag. Verwöhnen Sie sich und Ihre Lieben mit diesen ebenso einfachen wie unwiderstehlichen Rezepten, die sich in wenigen Minuten umsetzen lassen, aber nachhaltig in Erinnerung bleiben.

ESPRESSO-TIRAMISU

SCHOKOLADENKUCHEN OHNE MEHL

Espresso-Tiramisu

80 ml starker schwarzer Kaffee (Espresso)
80 ml Kaffeelikör
2 EL brauner Zucker
250 g Mascarpone
60 ml Rahm
½ TL Vanilleextrakt*
2 EL brauner Zucker zusätzlich
8 kleine (oder 4 halbierte große) fertig gekaufte Löffelbiskuits

Kaffee, Kaffeelikör und braunen Zucker in einem Topf bei mittlerer Temperatur erhitzen und 5–6 Minuten köcheln lassen, bis die Flüssigkeit leicht eindickt. Die Mischung in eine Schüssel gießen und im Kühlschrank vollständig auskühlen lassen. Mascarpone, Rahm, Vanilleextrakt und den zusätzlichen braunen Zucker verrühren. Jeweils 2 Löffelbiskuits auf einen Teller legen, mit etwas Kaffeesirup beträufeln und einen großen Klecks Mascarponecreme daraufsetzen. Mit dem restlichen Kaffeesirup beträufeln. ERGIBT 2 PORTIONEN.

Wenn von einem bestimmten Durchmesser einer Form die Rede ist, ist immer der Durchmesser des Bodens gemeint. Für Schlagrahm oder Schlagsahne wählt man am besten Rahm mit einem Fettgehalt von 20–30 Prozent. Er lässt sich mit dem Handmixer zu einer locker-schaumigen Masse aufschlagen, die eine köstliche Beigabe zu Kuchen ist.

Schokoladenkuchen ohne Mehl

350 g Zartbitterschokolade oder -kuvertüre, zerkleinert
185 g Butter, zerkleinert
6 Eier
220 g brauner Zucker
60 ml Haselnusslikör
100 g gemahlene Haselnüsse
Für die Haselnusscreme:
300 ml Rahm
60 ml Haselnusslikör

Den Ofen auf 170 Grad vorheizen. Den Boden und die Seitenwände einer Springform (22 cm Durchmesser) mit Backpapier auskleiden. Schokolade und Butter in einem Topf bei niedriger Temperatur unter Rühren zum Schmelzen bringen. Eier, Zucker, Likör und die gemahlenen Haselnüsse in einer Schüssel verrühren. Die Schokoladenmasse dazugeben und darunterheben, zu einem glatten Teig rühren. Den Teig in die Springform füllen, mit Alufolie abdecken und im vorgeheizten Ofen 40 Minuten backen. Dann den Kuchen aus dem Ofen nehmen, die Folie entfernen, den Kuchen in der Form etwas abkühlen lassen und anschließend zum vollständigen Erkalten in den Kühlschrank stellen. Für die Haselnusscreme Rahm und Likör mit dem Handmixer steif schlagen. Bis zum Servieren zugedeckt im Kühlschrank aufbewahren. Dann zum Kuchen reichen. ERGIBT 12 STÜCKE.

Himbeerkuchen

50 g Mehl
80 g gemahlene Mandeln
160 g Puderzucker
90 g Butter, flüssig
3 Eiweiß, leicht verklopft
1 TL Vanilleextrakt*
170 g frische oder tiefgekühlte Himbeeren
Himbeeren und Schlagrahm zum Servieren

Den Ofen auf 160 Grad vorheizen. Das Mehl, die gemahlenen Mandeln, Puderzucker, Butter, Eiweiße und Vanilleextrakt mit dem Handmixer zu einem glatten Teig verarbeiten. Die Hälfte der Himbeeren unter den Teig heben. Diesen in eine gefettete, mit Backpapier ausgekleidete Springform (18 cm Durchmesser) füllen und die restlichen Himbeeren auf dem Teig verteilen. Den Kuchen 35–40 Minuten im vorgeheizten Ofen backen, bis er durchgebacken ist (mit Metallstäbchen prüfen*). Die zusätzlichen Himbeeren unter den Schlagrahm heben und zu dem warmen Kuchen reichen. ERGIBT 6 STÜCKE.

HIMBEERKUCHEN

Schnelle Dattelküchlein

100 g Datteln, klein gehackt
160 ml kochendes Wasser
¼ TL Natron
30 g weiche Butter
110 g brauner Zucker
1 Ei
150 g Mehl
½ TL Backpulver
Crème double oder Eiscreme und brauner Zucker zum Servieren

Den Ofen auf 160 Grad vorheizen. Die Datteln mit kochendem Wasser und dem Natron in einer Schüssel vermischen und 10 Minuten ruhen lassen. Dann die Masse mit dem Pürierstab zerkleinern. Butter, Zucker, Ei, Mehl und Backpulver zu der Dattelmasse geben und alles zu einem glatten Teig verarbeiten. Den Teig in 4 gefettete ofenfeste Förmchen (je 250 ml Inhalt) verteilen und im vorgeheizten Ofen 25 Minuten backen, bis er durchgebacken ist (mit Metallstäbchen prüfen*). Aus dem Ofen nehmen und auf Teller stürzen. Mit einem Klecks Crème double oder Eiscreme und mit braunem Zucker bestreut servieren. ERGIBT 4 STÜCK.

Eiscreme mit karamellisierten Haselnüssen

70 g geröstete Haselnusskerne
1 TL Haselnusslikör
1 EL brauner Zucker
Für den Sirup:
125 ml Haselnusslikör
Eiscreme zum Servieren

Den Ofen auf 160 Grad vorheizen. Die Haselnüsse mit dem Likör vermischen. Den Zucker in eine Schüssel geben und die im Likör marinierten Haselnüsse darin schwenken. Dann die gezuckerten Nüsse auf einem mit Backpapier belegten Blech verteilen und im Ofen 12 Minuten backen, bis der Zucker Blasen wirft und karamellisiert. Die Nüsse aus dem Ofen nehmen und etwas abkühlen lassen. Für den Sirup den Likör in einem kleinen Topf bei hoher Temperatur 8–10 Minuten auf- und einkochen, bis er auf die Hälfte reduziert und sirupartig eingedickt ist. Vom Herd nehmen und leicht abkühlen lassen. Zum Servieren Eiscremekugeln auf Dessertteller setzen und mit den karamellisierten Nüssen und dem Likörsirup garnieren. ERGIBT 2 PORTIONEN.

Schokoladenmousse

300 ml Rahm
125 g Zartbitterschokolade, zerkleinert
2 Eigelb
30 g Butter

Den Rahm in einem Topf bei mittlerer Temperatur bis kurz vor dem Kochen erhitzen. Den Topf vom Herd nehmen, Schokolade, Eigelbe und Butter hinzufügen und unter Rühren zu einer glatten Masse verarbeiten. Die Masse im Kühlschrank vollständig erkalten lassen. Dann die Schokoladenmasse mit dem Handmixer zu einer luftigen Creme aufschlagen. Vorsicht: Nicht zu lange schlagen, da die Masse sonst körnig wird. Die Mousse in kleine Gläser verteilen und mit Keksen oder Biskuits servieren. ERGIBT 2 PORTIONEN.

Schokoladenfondant-Küchlein

200 g Zartbitterschokolade
60 g Butter, zerkleinert
2 Eier
2 EL Mehl
60 g brauner Zucker
Schlagrahm oder Eiscreme zum Servieren

Den Ofen auf 180 Grad vorheizen. Die Schokolade über einem heißen Wasserbad schmelzen, mit Butter, Eiern, Mehl und Zucker mischen und mit dem Handmixer zu einem glatten Teig verarbeiten. Diesen in 2 gefettete Soufflé- oder Auflaufförmchen (je 250 ml Inhalt) füllen und im Ofen 18–20 Minuten backen, bis die Puddings außen fest und gut gebacken, innen aber noch weich und cremig sind. 10 Minuten ruhen lassen, dann auf Dessertteller stürzen und mit Schlagrahm oder Eiscreme servieren. ERGIBT 2 PORTIONEN.

GESTÜRZTER PFLAUMENKUCHEN

MOKKA-TRÜFFEL

Gestürzter Pflaumenkuchen

50 g Butter, flüssig
50 g brauner Zucker
2 große Pflaumen, entsteint, in Scheiben geschnitten
Für den Sandteig:
80 g Butter
75 g brauner Zucker
1 Ei
75 g Mehl
½ TL Backpulver
½ TL Vanilleextrakt*
Schlagrahm zum Servieren

Den Ofen auf 160 Grad vorheizen. Die geschmolzene Butter in einer runden Kuchenform (18 cm Durchmesser) verteilen, mit dem braunen Zucker gleichmäßig bestreuen und die Pflaumenscheiben kreisförmig darauf verteilen. Für den Teig Butter, Zucker, Ei, Mehl, Backpulver und Vanilleextrakt mit dem Handmixer zu einer glatten, cremigen Masse verarbeiten. Den Teig auf den Pflaumenscheiben verteilen und den Kuchen 35 Minuten backen, bis er durchgebacken ist (mit Metallstäbchen prüfen*). Anschließend den Kuchen auf einen Teller stürzen und mit Schlagrahm servieren. ERGIBT 4 PORTIONEN.

Diesen Kuchen kann man auch mit anderem festen Obst wie Äpfeln oder Birnen zubereiten. Nehmen Sie den Kuchen noch heiß aus der Form, denn die Zuckerschicht wird mit dem Abkühlen sehr schnell fest und bleibt dann am Boden hängen. Sollte dies dennoch passieren, stellen Sie den Kuchen noch einmal für einige Minuten zurück in den heißen Ofen, so dass die Zuckermasse erneut schmilzt.

Mokka-Trüffel

1 EL Instant-Kaffeegranulat
1 TL kochendes Wasser
400 g Zartbitterschokolade, zerkleinert
160 ml Rahm
Kakaopulver zum Bestäuben

Das Kaffeegranulat unter Rühren in dem kochenden Wasser auflösen und anschließend mit Schokolade und Rahm in einem Topf bei niedriger Temperatur erhitzen. Unter Rühren die Schokolade auflösen und alles zu einer glatten Masse rühren. Eine quadratische oder rechteckige Kuchenform mit Backpapier auskleiden, die Masse einfüllen und 2–3 Stunden kalt stellen, bis die Masse vollständig durchgekühlt ist. Die feste Masse in kleine quadratische Stücke schneiden und mit Kakaopulver bestäuben. ERGIBT 24 STÜCK.

Schokoladen-Himbeer-Meringues

100 g Zartbitterschokolade, zerkleinert
180 ml Rahm
2 fertig gekaufte Meringues (Baisers)
125 ml Rahm als Garnitur
150 g Himbeeren

Die Schokolade und den Rahm in einem Topf bei niedriger Temperatur unter Rühren erhitzen, so dass die Schokolade schmilzt. Die Masse in eine Schüssel füllen und beiseite stellen. Die Meringues grob zerkleinern und einen Teil davon in zwei Dessertschälchen verteilen. Die zweite Portion Rahm steif schlagen. Einen Teil der Schokoladen-Rahm-Masse über die Meringuestücke geben, einige Himbeeren daraufsetzen und mit dem Schlagrahm krönen. ERGIBT 2 PORTIONEN.

SCHOKOLADEN-HIMBEER-MERINGUES

Kokosreis mit karamellisierter Mango

330 g gekochter Rundkornreis
250 ml Kokosmilch
1 Vanilleschote, längs geschnitten, Mark ausgekratzt
75 g Zucker
125 ml Wasser
2 Mangos
feiner Zucker zum Bestreuen

Reis, Kokosmilch, Vanillemark, Zucker und Wasser in einem Topf bei mittlerer Temperatur zum Kochen bringen und unter gelegentlichem Rühren 8–10 Minuten köcheln lassen, bis der Zucker sich aufgelöst hat und die Masse leicht eingedickt ist. Den Reis im Kühlschrank erkalten lassen. Die Mangos vom Stein schneiden und die Schnittseiten mit feinem Zucker bestreuen. Eine beschichtete Pfanne bei hoher Temperatur erhitzen und die Mangohälften mit den Schnittseiten nach unten 30 Sekunden braten, bis der Zucker karamellisiert. Den Kokosreis in Dessertschälchen verteilen und mit den karamellisierten Mangohälften servieren. ERGIBT 4 PORTIONEN.

Kokos-Schokoladen-Tartes

60 g Kokosraspel
75 g feiner Zucker
1 Eiweiß
Für die Schokoladen-Ganache:
140 g Zartbitterschokolade, zerkleinert
160 ml Rahm

Den Ofen auf 140 Grad vorheizen. Kokosraspel, Zucker und Eiweiß gut verrühren. Ein Blech mit Backpapier auslegen und 6 runde gefettete Metallringe (7–8 cm Durchmesser) daraufsetzen. Den Kokosteig in die Ringe drücken, so dass gleichmäßige Tarteletteböden entstehen. 20 Minuten backen, bis der Teig leicht gebräunt ist. Abkühlen lassen und die Teigböden aus den Ringen lösen. Für die Schokoladen-Ganache Schokolade und Rahm in einem kleinen Topf unter Rühren bei niedriger Temperatur erwärmen, so dass die Schokolade schmilzt. Den Topf vom Herd nehmen, die Schokoladenmasse etwas abkühlen lassen und dann in die Kokostarteletts füllen. Etwa 1 Stunde kalt stellen, bis die Schokoladenfüllung fest ist. ERGIBT 6 STÜCK.

Steinobst mit Biskuitstreuseln

4 Stück Steinobst, halbiert (z.B. Pfirsiche, Nektarinen, Pflaumen oder Aprikosen)
300 ml Dessertwein
1 Vanilleschote, längs halbiert, Mark ausgekratzt
1 Zimtstange
100 g fertig gekaufter Biskuitboden, zerbröselt
40 g Butter, flüssig

Den Ofen auf 180 Grad vorheizen. Die Steinobsthälften mit der Schnittseite nach unten in eine Auflaufform legen, Dessertwein, Vanillemark und Zimtstange dazugeben und alles 15 Minuten backen. Dann die Obsthälften wenden und weitere 15 Minuten backen. Den zerbröselten Biskuitboden mit der geschmolzenen Butter vermischen, auf dem Obst verteilen und weitere 10–15 Minuten backen, bis sich die Biskuitstreusel goldbraun färben. ERGIBT 4 PORTIONEN.

Bananenpuddings mit Ahornsirup

2 EL feiner Zucker
2 EL Ahornsirup*
150 g zerquetschte Banane
50 g Butter
1 Ei
75 g Mehl
½ TL Backpulver
Crème double und Ahornsirup*

Den Ofen auf 170 Grad vorheizen. Zucker, Ahornsirup, Bananenbrei, Butter, Ei, Mehl und Backpulver zu einem glatten Teig rühren. Den Teig in 2 gefettete Auflaufförmchen (je 250 ml Inhalt) verteilen und im vorgeheizten Ofen 30–35 Minuten backen, bis der Teig durchgebacken ist (mit Metallstäbchen prüfen*). Die Puddings warm mit einem Klecks Crème double und zusätzlichem Ahornsirup servieren. ERGIBT 2 PORTIONEN.

MARACUJA-MERINGUES

BACKÄPFEL MIT MANDELN

Maracuja-Meringues

150 ml Eiweiß (von etwa 4 Eiern)
220 g feiner Zucker
2 EL Passionsfruchtfleisch (von etwa 2 Passionsfrüchten)
Schlagrahm zum Servieren
etwas Passionsfruchtfleisch zum Servieren

Den Ofen auf 170 Grad vorheizen. Die Eiweiße mit dem Handmixer steif schlagen. Während des Schlagens nach und nach den Zucker einrieseln lassen, so dass ein dicklicher, glänzender Eischnee entsteht. Das Passionsfruchtmark darunterheben. Ein Blech mit Backpapier belegen und darauf jeweils 2 Esslöffel große Portionen des Eischnees setzen. 25 Minuten backen. Dann den Ofen ausschalten und die Meringues im geschlossenen Ofen 2 Stunden auskühlen lassen. Vor dem Servieren nochmals etwas Passionsfruchtmark unter fertig geschlagenen Schlagrahm heben und zu den Meringues reichen. ERGIBT 20 STÜCK.

Die Herstellung von Meringues oder Baisers ist wirklich nicht schwer – es kommt nur auf die richtigen Proportionen an. Wichtig ist das richtige Verhältnis von Eiweiß und Zucker, damit perfekte Meringues entstehen: außen schön knusprig und innen zart schmelzend. Der zweite Trick besteht darin, die fertig gebackenen Meringues ganz langsam im ausgeschalteten Ofen abkühlen zu lassen – so fallen sie nicht in sich zusammen.

Backäpfel mit Mandeln

80 g geschälte Mandeln, fein gehackt
50 g Zucker
1 Prise Zimt
15 g weiche Butter
2 rotschalige Äpfel, Kerngehäuse entfernt, in dicke Scheiben geschnitten
Crème double zum Servieren

Den Ofen auf 180 Grad vorheizen. Mandeln, Zucker, Zimt und Butter vermischen. Ein Blech mit Backpapier belegen, die Apfelscheiben in der richtigen Reihenfolge und jede Schicht mit einem Esslöffel Mandelmischung bestreut daraufsetzen. Die Apfeltürmchen 25 Minuten backen oder so lange, bis die Äpfel weich sind. Mit einem Klecks Crème double servieren.
ERGIBT 2 PORTIONEN.

Schneller Pfirsich-Vanille-Auflauf

2 Pfirsiche, entsteint, in dünne Schnitze geschnitten
2 Eigelb und 1 ganzes Ei
300 ml Rahm
75 g feiner Zucker
1 TL Vanilleextrakt*

Den Ofen auf 160 Grad vorheizen. Die Pfirsiche in 4 gefettete Auflaufförmchen (je 300 ml Inhalt) verteilen. Eigelbe, Ei, Rahm, Zucker und Vanilleextrakt in der Küchenmaschine oder mit dem Handmixer zu einer glatten Masse rühren und diese in die Förmchen über die Pfirsichscheiben verteilen. 18–20 Minuten backen, bis die Eimasse gerade fest ist. Heiß servieren.
ERGIBT 4 PORTIONEN.

SCHNELLER PFIRSICH–VANILLE–AUFLAUF

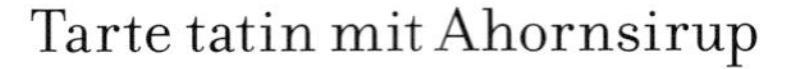

Tarte tatin mit Ahornsirup

25 g Butter
60 ml Ahornsirup*
1 Apfel, Kerngehäuse entfernt, in dünne Scheiben geschnitten
2 Lagen fertig gekaufter Blätterteig (à 25 x 25 cm), falls tiefgekühlt aufgetaut

Den Ofen auf 180 Grad vorheizen. Die Butter in einer beschichteten ofenfesten Pfanne (18 cm Durchmesser) bei mittlerer Temperatur schmelzen. Dann den Ahornsirup dazugeben und die Apfelscheiben leicht überlappend darauf verteilen. 5–6 Minuten braten, bis die Apfelscheiben weich sind. Die Pfanne vom Herd nehmen. Aus dem Blätterteig 2 Kreise von je 19 cm Durchmesser ausschneiden (groß genug, um die Pfanne abzudecken) und die beiden Teigplatten übereinander auf die Apfelscheiben legen. In der Pfanne im Ofen 30–35 Minuten backen, bis der Blätterteig schön aufgegangen und goldbraun ist. Aus dem Ofen nehmen, 2 Minuten abkühlen lassen, dann auf einen Teller stürzen. Warm oder auf Raumtemperatur abgekühlt servieren. ERGIBT 4 PORTIONEN.

Beeren-Brot-Auflauf

Butter zum Bestreichen
4 Scheiben Weißbrot oder Brioche
180 g tiefgekühlte Himbeeren oder Blaubeeren
3 Eier
375 ml Milch
70 g feiner Zucker
1 TL Vanilleextrakt*
Vanilleeis zum Servieren

Den Ofen auf 180 Grad vorheizen. Die Brot- oder Briochescheiben mit Butter bestreichen und jede Scheibe in 8 Streifen schneiden. Die Brotstreifen in 4 gefettete Auflaufförmchen (je 250 ml Inhalt) verteilen und die Beeren dazugeben. Eier, Milch, Zucker und Vanilleextrakt verrühren, über die Brotstreifen gießen und 2 Minuten durchziehen lassen. Dann 35–40 Minuten im vorgeheizten Ofen backen, bis der Auflauf in der Mitte durchgebacken ist. Heiß mit Vanilleeis servieren.
ERGIBT 4 PORTIONEN.

Ofenbirnen mit Makronenfüllung

2 feste braunschalige Birnen
2 Eiweiß
75 g feiner Zucker
60 g Kokosraspel
Karamelleis zum Servieren

Den Ofen auf 180 Grad vorheizen. Die Birnen längs halbieren, Kerngehäuse und harte Fasern entfernen und die Früchte auf der Unterseite geradeschneiden, so dass sie gut stehen. Die Eiweiße mit dem Handmixer steif schlagen. Während des Rührens nach und nach den Zucker einrieseln lassen, so dass ein glänzender Eischnee entsteht. Dann die Kokosraspel darunterheben und den Eischnee in die Mulden der vier Birnenhälften füllen. Im Ofen 25 Minuten backen, bis die Eischneehaube fest und leicht gebräunt ist. Mit einer Kugel Karamelleis servieren. ERGIBT 4 PORTIONEN.

Heißer Zitronen-Kokos-Pudding

110 g feiner Zucker
2 EL Mehl
25 g Kokosraspel
½ TL Backpulver
1 TL abgeriebene Zitronenschale
60 ml Zitronensaft
15 g Butter, flüssig
80 ml Milch
1 Ei

Den Ofen auf 180 Grad vorheizen. Zucker, Mehl, Kokosraspel und Backpulver vermischen. In einer separaten Schüssel Zitronenschale, Zitronensaft, Butter, Milch und Ei verrühren. Die Milchmischung zu der Zucker-Mehl-Mischung gießen und alles zu einem glatten Teig verrühren. Diesen in 2 gefettete Auflaufförmchen (je 250 ml Inhalt) füllen und 18–20 Minuten backen, bis die Puddings sich goldbraun färben, innen aber noch weich sind. Heiß servieren. ERGIBT 2 PORTIONEN.

TURBO REZEPTE 7

Süße Naschereien

Mal ehrlich: Die Welt wird nicht untergehen, wenn Sie nach dem Essen nichts Süßes mehr auftischen. Aber es gibt dennoch Gelegenheiten, zu denen man auf etwas Süßes als Beigabe zum Kaffee oder Espresso ganz einfach nicht verzichten kann. Ganz gleich, ob dringendes Bedürfnis oder unwiderstehlicher Wunsch – manchmal muss es etwas Süßes sein.

Honigwaben

RECHTS: 220 g Zucker, 80 ml Honig und 60 g Butter in einem großen Topf unter Rühren erhitzen, bis sich der Zucker aufgelöst hat. Aufkochen und 2 Minuten kochen lassen, bis sich die sirupartige Masse goldbraun färbt. Vom Herd nehmen und 2 TL Natron einrühren, dann die Mischung in eine gefettete quadratische Form (20 cm Kantenlänge) füllen. Zum Festwerden abkühlen lassen und in Stücke brechen. Luftdicht verschlossen aufbewahren.

ERGIBT 25 MUNDGERECHTE STÜCKE.

Kleine Noch-mehrs

UNTEN: 6 kleine Schokoladenkekse auf ein mit Backpapier belegtes Blech geben, auf jeden Keks ein kleines Stück Zartbitterschokolade und darauf einen halben Marshmallow setzen. Die Kekse im vorgeheizten Ofen bei 160 Grad 3 Minuten backen, bis die Marshmallows leicht bräunen. Dann die belegten Kekse mit jeweils einem weiteren Keks bedecken und sofort servieren. In wenigen Sekunden wird der Ruf nach »noch mehr« laut.

Das intensive Aroma von Kaffee verlangt nach starken Begleitern. Schokolade ist ein perfekter Partner, dicht gefolgt von Karamell. Dumm ist nur, dass man sich für eines von beiden entscheiden muss …

Brandy-Brownie-Trüffel

OBEN: 180 g fertig gekaufte Brownies in einer Schüssel zerbröseln, mit 2 TL Brandy beträufeln und gut teelöffelgroße Teigportionen zu Kugeln formen, in Kakopulver wälzen und kalt stellen, bis die Kugeln fest sind. Die Kugeln wahlweise in Puderzucker, in Trinkschokoladenpulver, in gehobelten Mandeln oder Kokosraspeln wälzen.

ERGIBT 12 STÜCK.

Schokoladen-Mandel-Karamell

LINKS: 140 g geröstete Mandelsplitter auf einem gefetteten Backblech verteilen, zu einer kompakten Schicht zusammendrücken. 330 g Zucker und 80 ml Wasser bei hoher Temperatur ohne zu rühren 8–10 Minuten zu goldbraunem Karamell kochen. Den Karamell über die Mandeln gießen und fest werden lassen, dann mit 150 g geschmolzener Zartbitterschokolade bestreichen und im Kühlschrank fest werden lassen. In große Stücke brechen. **ERGIBT 20 STÜCK.**

Wantans – mal süß

RECHTS: Den Ofen auf 180 Grad vorheizen. 6 Wantan-Teigblätter* auf ein mit Backpapier belegtes Blech setzen und mit 15 g flüssiger Butter bestreichen. 1 EL braunen Zucker mit ½ TL Zimt vermischen und die gebutterten Teigblätter damit bestreuen. Im Ofen 7–8 Minuten knusprig und goldbraun backen, dann auskühlen lassen und luftdicht verschlossen aufbewahren. Jeweils 2 Teigblätter mit einer Kugel Eiscreme oder Sorbet dazwischen servieren. ERGIBT 2 PORTIONEN.

Gefüllte Schokoladensterne

UNTEN: Aus fertig gekauftem Blätterteig 16 Sterne ausstechen. Auf 8 der Sterne jeweils ein kleines Stück Schokolade setzen, den Teigrand mit 1 verklopften Ei bestreichen, die restlichen Sterne daraufsetzen und am Rand fest zusammendrücken. Die Oberseiten mit dem restlichen Ei bestreichen und mit feinem Zucker bestreuen. Im vorgeheizten Ofen bei 180 Grad 15 Minuten goldbraun backen. Zum Kaffee oder zu heißer Schokolade reichen. ERGIBT 8 STÜCK.

Süßes Gebäck ist ein beliebter Abschluss eines Mahls. Fertig gekaufte Teige machen die Sache einfach. Wenn das Menü eher nach einem leichten Abschluss verlangt, geht nichts über die Kombination von Obst mit einem edlen Tropfen.

Apfel-Himbeer-Küchlein

OBEN: Mit einem runden Ausstecher aus Blätterteig 12 Kreise ausstechen. Auf die Hälfte der Teigrondellen je 1 Apfelscheibe und ½ TL Himbeermarmelade setzen. Die Teigränder mit 1 verklopften Ei bestreichen, die restlichen Teigrondellen daraufsetzen und am Rand fest zusammendrücken. Die Oberseiten mit Ei bestreichen und mit feinem Zucker bestreuen. Im vorgeheizten Ofen bei 180 Grad 15 Minuten goldbraun backen.

ERGIBT 6 STÜCK.

Beschwipste Früchte

LINKS: Gemischtes Obst der Saison (im Sommer Pfirsiche, Nektarinen, Aprikosen, Pflaumen und Beeren; im Winter Birnen, Feigen oder tiefgekühlte und aufgetaute Beeren) fein schneiden und in Gläser verteilen. Jedes Glas bis zur Hälfte mit gut gekühltem Moscato oder Champagner auffüllen.

ERGIBT 2 PORTIONEN.

Schokoladen-Espresso-Eisbecher

RECHTS: 75 g Zartbitterschokolade, 1 EL starken Espresso (oder 1 EL Kaffeegranulat) und 80 ml Rahm in einem kleinen Topf bei niedriger Temperatur zu einer glatten Masse verrühren. Den Topf vom Herd nehmen und die Masse abkühlen lassen. Vanilleeis in Gläser oder Dessertschalen verteilen, die Schokoladenmasse darübergeben und mit Mokkabohnen garniert servieren. **ERGIBT 4 PORTIONEN.**

Nougat-Eis

UNTEN: Große Vanilleeiskugeln in 4 hohe Eisbecher oder Gläser verteilen und mit 300 g grob gehacktem, fertig gekauftem Pistazien-, Mandel- oder Schokoladennougat bestreuen. Oder nach Geschmack etwas Nusslikör, grob zerstoßene Amaretti, Mandelbiscotti oder fein gehackte Nüsse über das Eis verteilen. **ERGIBT 4 PORTIONEN.**

Die Kombination von Eiscreme mit einer knusprigen Beigabe ist einfach, lecker und schnell. Wählen Sie die beste Eiscreme, die Sie bekommen können – und im Handumdrehen ist ein grandioses Dessert fertig!

Eis mit Turkish Delight

OBEN: Große Vanilleeiskugeln in 4 Dessertschalen geben und darauf 250 g grob gehackten, fertig gekauften mit Rosenwasser parfümierten Lokum (Turkish Delight) verteilen. Vor dem Servieren mit 70 g gehackten Pistazien und/oder nach Belieben mit grob gehackter weißer oder dunkler Schokolade bestreuen.

ERGIBT 4 PORTIONEN.

Eiscreme mit Rumrosinen

LINKS: 70 g Rosinen, 250 ml Rum und 220 g braunen Zucker in einem kleinen Topf bei hoher Temperatur 8–10 Minuten sirupartig einkochen. Vom Herd nehmen und vollständig abkühlen lassen. Vanille- oder Karamelleis in vier Schalen verteilen und die Rumrosinen darübergeben.

ERGIBT 4 PORTIONEN.

GLOSSAR

Dank multikultureller Einflüsse bereichern heute zahlreiche neue Zutaten unsere Küche. Doch natürlich denke ich auch an jene, die keine spezialisierten Geschäfte in der Nähe haben. Deshalb wurde darauf geachtet, dass die meisten Zutaten im Supermarkt erhältlich sind. Mehr zu spezielleren Zutaten erfahren Sie im folgenden Glossar.

Ahornsirup

Süße, dickliche Flüssigkeit, die aus dem Saft des Ahornbaums gewonnen wird. Achten Sie darauf, echten Ahornsirup zu verwenden und keinen »Ahornsirup-Ersatz«, der aus Maissirup hergestellt und nur mit Ahornaroma versetzt wird.

Arborioreis

Italienische Reissorte mit kurzen, rundlichen Körnern und hohem Stärkeanteil. In Brühe gekocht, lässt sich Arborioreis zu cremigem Risotto verarbeiten, in Milch und mit Zucker wird daraus ein cremiger süßer Milchreis. Alternativ kann man Carnaroli-, Vialone-, Roma-, Baldo-, Padano-, Calriso- oder andere Rundkornreissorten verwenden.

Asianudeln

Wie Teigwaren sollten Sie – für schnelle Gerichte in letzter Minute – immer auch getrocknete Asianudeln in Ihrem Vorrat haben. Frische Teigwaren halten sich im Kühlschrank etwa eine Woche.
GLASNUDELN: Werden aus Mungobohnenstärke hergestellt. Die haarfeinen, durchscheinenden Nudeln werden meist in Bündeln verkauft. Mit kochendem Wasser übergießen, einige Minuten ziehen lassen, dann abgießen und in Suppen, Wokgerichten oder Salaten verwenden.
CHINESISCHE WEIZENNUDELN: Getrocknet oder frisch in Supermärkten und Asialäden erhältlich. Frische Weizennudeln lässt man vor der Weiterverarbeitung in heißem Wasser ziehen, getrocknete Nudeln müssen gekocht werden.
FRISCHE REISNUDELN: Sind aus Reismehl hergestellt und in unterschiedlichen Breiten und Stärken in Asialäden erhältlich. Achten Sie darauf, möglichst frische Nudeln zu verwenden, die nur wenige Tage alt sind. Mit kochendem Wasser übergießen, 1 Minute ziehen lassen, abgießen und weiterverarbeiten.
REISNUDELN (VERMICELLI): Dünne getrocknete Fadennudeln, die in der südostasiatischen Küche häufig verwendet werden. Je nach Dicke werden sie mit kochendem Wasser übergossen oder kurz gekocht.

Asiatisches Grüngemüse

Die folgenden grünen Blattgemüse gehören alle zur Familie der Kohlgewächse und sind inzwischen auch bei uns fast überall zu bekommen. Man kann sie pochieren, dämpfen, schmoren oder als Zutat in Suppen oder Wokgerichten verwenden.
PAK CHOI (AUCH BOK CHOI): Grünes Gemüse mit mildem Aroma, auch als weißer Chinakohl, Blattstielkohl oder Chinesischer Senfkohl bekannt. Ganz jungen, zarten Pak Choi kann man nach dem Waschen im Ganzen garen. Größere Köpfe zerlegt man in einzelne Blätter und entfernt die weißen Stängel. Kurz garen, damit das Gemüse seine Farbe nicht verliert und knackig bleibt.
BROKKOLINI: Eine Kreuzung aus Gai Larn (chinesischem Brokkoli) und Brokkoli, mit langen, dünnen Stängeln und kleinen Röschen. Wird bundweise angeboten, kann statt Brokkoli verwendet werden.
CHOI SUM: Blattgemüse mit kleinen gelben Blüten, auch Chinesischer Blumenkohl genannt. Die grünen Blätter und die Stängel werden gedämpft oder in Wokgerichten kurz gegart.
GAI LARN: Dieses auch als chinesischer Brokkoli oder chinesischer Meerkohl bekannte Gemüse hat dunkelgrüne Blätter, kleine weiße Röschen und dicke Stängel.

Austernsauce

Zähflüssige, dunkelbraune, aromatische Sauce, die in der asiatischen Küche häufig zum Würzen von Wokgerichten, Suppen und Eintöpfen verwendet wird. Austernsauce wird durch Einkochen von Austern, Salzlake und Geschmacksverstärkern hergestellt.

Balsamicoessig

Die dunkle Farbe und das milde, süßliche, karamellige Aroma unterscheiden Balsamicoessig von anderen Essigsorten. Er wird in der italienischen Region um Modena aus dem Most der Trebbianotraube hergestellt und zwischen 5 und 30 Jahren gereift, manchmal sogar noch länger. Je älter der Balsamicoessig, desto besser (und teurer) ist er. In günstigeren Produkten findet man nicht selten auch Zucker. Balsamicoessig kann als Ersatz für jeden anderen Essig dienen.

Bulgur

Vorgegarter, grob gemahlener und anschließend getrockneter Weizen. Bulgur ist in der türkischen, nahöstlichen, indischen und in der Mittelmeer-Küche sehr gebräuchlich. Man übergießt Bulgur mit kochendem Wasser und lässt ihn 15–20 Minuten gar ziehen; dann kann er weiterverarbeitet werden.

Butter

Wenn im Rezept nicht anders verlangt, sollte Butter bei der Verarbeitung immer Raumtemperatur haben. Keinesfalls sollte sie zu weich, geschweige denn halb geschmolzen sein, sondern noch ihre Form bewahren und auf Druck mit dem Finger leicht nachgeben. Zur Herstellung eines Mürbteigs muss die Butter kalt und in kleine Stückchen zerkleinert sein, damit sie sich mit dem Mehl perfekt zu einem glatten Teig verbindet. Gesalzene Butter hat eine längere Haltbarkeit als ungesalzene Butter.

Chilis

Unter dem Oberbegriff »Chili« werden in diesem Buch alle Vertreter der Art *Capsicum frutescens* zusammengefasst, von den kleinen, scharfen Vogelaugenchilis bis zu den großen milderen Schoten, die auch als Pfefferschoten oder italienisch Peperoncini bezeichnet werden. Allgemein gilt: Je kleiner und roter die Chilis, desto schärfer sind sie. Um die Schärfe zu mildern, entfernt man sämtliche Samen sowie die Scheidewände im Innern der Schoten. Besonders vorsichtig sind die kleinen roten Vogelaugenchilis zu dosieren! Chilis werden auch getrocknet, im Ganzen oder in Flocken (geschrotet) angeboten; getrocknete ganze Chilis weicht man vor der Verwendung 10 Minuten in heißem Wasser ein, dann abtropfen lassen, allenfalls entkernen und hacken.

Chili-Marmelade

Thailändische Würzpaste aus Ingwer, Chili, Knoblauch und Shrimppaste. Wird in Suppen und Wokgerichten verwendet und passt auch gut zu gebratenem oder geschmortem Fleisch, zu Eierspeisen und Käse.

Chinesisches Fünf-Gewürze-Pulver

Würzmischung aus Zimt, Szechuanpfeffer, Sternanis, Nelken und Fenchelsamen. Erhältlich in Asialäden und in gut sortierten Supermärkten.

Chorizo

Pikante, aus Schweinefleisch hergestellte und mit Peffer, Paprika und Chili gewürzte spanische Wurst mit fester Konsistenz. In Supermärkten, Metzgereien und Feinkostgeschäften erhältlich.

Couscous

Bezeichnung für feinen Weizengrieß sowie des daraus hergestellten algerischen, tunesischen und marokkanischen Nationalgerichts. Couscous kann über dem aufsteigenden Dampf gegart werden, oder man übergießt es mit kochendem Wasser und lässt es abgedeckt 20–30 Minuten, Instant-Couscous sogar nur 5 Minuten gar ziehen; dann kann es warm oder kalt weiterverarbeitet werden.

Fischsauce

Dunkelbraune Würzflüssigkeit, die aus gesalzenem, fermentiertem Fisch gewonnen und zum Würzen thailändischer und vietnamesischer Gerichte verwendet wird. Erhältlich in Supermärkten und Asialäden. In Asialäden findet man Fischsauce unter der Bezeichnung »Nam pla«.

Gewürzsumach

Die getrockneten Beeren des Sumach-Strauchs *(Rhus coriaria)* werden zu einem säuerlichen, purpurfarbenen Pulver vermahlen, das besonders im Nahen Osten ein beliebtes Gewürz ist.

Harissa

Nordafrikanische rote Würzpaste, die aus Chili, Knoblauch und Gewürzen wie Koriander, Kümmel und Kreuzkümmel hergestellt wird. Manchmal sind auch Tomaten darin enthalten. Harissa wird im Glas oder in der Tube angeboten und ist in Supermärkten und spezialisierten Lebensmittel- und Feinkostgeschäften erhältlich. Harissa gibt Tajine- und Couscousgerichten eine pikante Note und verleiht auch Dressings und Saucen das gewisse Etwas.

Hoisinsauce

Dickliche chinesische Sauce aus fermentierten Sojabohnen, Zucker, Salz, Knoblauch und rotem Reis. Sie wird als Marinade, aber auch als Dip verwendet und darf bei der traditionellen Peking-Ente als Sauce nicht fehlen. Erhältlich in Asialäden und in gut sortierten Supermärkten.

Hummus

Ein im Nahen Osten beliebter Dip, der aus gekochten und pürierten Kichererbsen, Tahini (siehe unten), Knoblauch und Zitronensaft hergestellt wird. Erhältlich in türkischen oder orientalischen Spezialitätengeschäften und im gut sortierten Feinkosthandel oder selbst hergestellt nach Rezept Seite 162.

Ingwer, eingelegter (Gari)

Eingelegter Ingwer stammt aus Japan. Dazu schneidet man jungen Ingwer in hauchdünne Scheiben und legt diese in süßem Essig ein. Gari wird oft zu Sushi gereicht und soll zwischen den einzelnen Sushihappen den Gaumen und den Geschmackssinn klären. Fertig erhältlich in Asialäden und im gut sortierten Feinkosthandel.

Käse

Wird unter Verwendung von Lab und Säurebakterien aus der Milch von Kühen, Ziegen, Schafen oder Büffeln gewonnen. Die Käserinde trägt bei vielen Sorten maßgeblich zum typischen Geschmack und Geruch bei.
BLAUSCHIMMELKÄSE: Die typische Äderung sowie der kräftige Geschmack werden durch die Beigabe bestimmter Schimmelkulturen erreicht. Die meisten Blauschimmelkäse besitzen

eine krümelige Konsistenz und ein leicht säuerliches Aroma, das mit zunehmendem Alter milder und runder wird.
FETA: Aus Ziegen-, Schaf- oder Kuhmilch hergestellter Käse, der häufig in Salzlake gelagert wird und relativ lange haltbar ist.
ZIEGENKÄSE: Ziegenkäse, auch Chèvre genannt, hat ebenso wie die Ziegenmilch, aus der er hergestellt wird, ein säuerlich-herbes Aroma. Junger Ziegenkäse ist milder und cremiger als reifer Ziegenkäse.
HALOUMI: Ein fester, aus Schafmilch hergestellter Käse aus Zypern. Er besitzt eine fasrige Konsistenz und wird normalerweise in Salzlake eingelegt. Haloumi behält auch beim Grillen und Braten seine Form und eignet sich deshalb gut für Spießchen. In gut sortierten Supermärkten, Spezialitäten- und Feinkostgeschäften erhältlich.
MASCARPONE: Cremig-weicher italienischer Frischkäse, der eine ähnliche Konsistenz wie Crème double besitzt und auch ähnlich verwendet wird, vor allem zur Verfeinerung von Saucen und zur Zubereitung von Desserts wie Tiramisu. In Supermärkten erhältlich.
MOZZARELLA: Mozzarella ist ein milder, aus Italien stammender Käse, der für Pizza, Lasagne und zusammen mit Tomaten als Salat verwendet wird. Bei der Herstellung wird die geronnene Milch mehrfach geschnitten und gezogen, wodurch der Käse seine geschmeidige, elastische Konsistenz erhält. Die ursprüngliche, aromatische Mozzarella-Variante wird aus Büffelmilch hergestellt. Mozzarella ist in faustgroßen oder auch mundgerechten kleinen Kugeln erhältlich.
PARMESAN: Beliebter italienischer Hartkäse, der aus Kuhmilch hergestellt wird. Parmiggiano reggiano ist der beste unter den verschiedenen Parmesansorten. Er wird nach strengen Vorgaben in der Region Emilia-Romagna hergestellt und reift im Durchschnitt zwei Jahre. Grana padano kommt normalerweise aus der Lombardei und hat eine Reifezeit von 15 Monaten.
RICOTTA: Cremiger, sehr feinkörniger, quarkähnlicher Weichkäse. Ricotta bedeutet im Italienischen »noch einmal gekocht«, was sich auf den Herstellungsprozess bezieht. Dabei wird die bei der Herstellung anderer Käsesorten übrig gebliebene Molke nochmals erhitzt. Ricotta ist ein relativ fettarmer Frischkäse.

Kaffirlimettenblätter

Aromatische Blätter mit auffälliger paariger Anordnung am Stängel. Sie werden zerquetscht oder gehackt in vielen Thaigerichten, vor allem in Currys, verwendet. Frisch oder getrocknet erhältlich in Asialäden oder teilweise auch beim Gemüsehändler.

Kerbel

Ein mit Petersilie verwandtes Würzkraut mit leichtem Anisaroma.

Kokosmilch

Süße, milchige Flüssigkeit, die aus dem Fruchtfleisch der Kokosnuss gepresst wird (nicht zu verwechseln mit dem klaren Kokossaft, der sich im Innern junger Kokosnüsse befindet). Erhältlich in Tetrapak oder Dosen im Supermarkt, in Asialäden und Feinkostgeschäften.

Löffelbiskuit

Luftig-leichtes, längliches italienisches Gebäck, auch unter der Bezeichnung »Savoiardi« bekannt. Wird zur Herstellung verschiedener Desserts wie Tiramisu verwendet, da das Gebäck andere Aromen geradezu aufsaugt und schön weich wird, dabei aber seine Form behält. Erhältlich in Supermärkten und Feinkostgeschäften.

Meerrettich

Wurzelgemüse mit scharfem Aroma, das beim Schneiden oder Reiben Senföle freigibt. Meerrettich oxidiert sehr schnell, daher gleich nach dem Schneiden oder Reiben mit Wasser oder Essig bedecken. Frisch erhältlich beim Gemüsehändler, gerieben in Gläsern oder Tuben im Feinkostgeschäft oder Supermarkt.

Misopaste

Traditionell japanische Würzpaste, die aus fermentiertem Reis, fermentierter Gerste oder fermentierten Sojabohnen, Salz und Pilzen hergestellt wird. Sie wird zum Abschmecken von Saucen und Aufstrichen, mariniertem Gemüse oder Fleisch verwendet. Indem man sie in Dashi-Brühe (Fischsud) rührt, erhält man die traditionelle japanische Misosuppe. Erhältlich in Asialäden und in Feinkostgeschäften.

Nori

Hauchdünne, sehr vitaminreiche Blätter aus getrocknetem Seegras, die in vielen japanischen Gerichten und insbesondere bei der Zubereitung von Sushi verwendet werden. Erhältlich in Asialäden.

Oliven

Schwarze Oliven sind reifer und milder (weniger salzig) als grüne Sorten. Wählen Sie immer feste Früchte mit kräftiger Färbung und fruchtigem Aroma.
LIGURISCHE OLIVEN: Die als ligurische Oliven angebotenen Früchte wachsen wild in Bodennähe an niedrigen Sträuchern. Die Farbe dieser kleinen Sorte reicht von hellem Senfgelb über Violett bis zu Schwarz. Die dünne Schicht Fruchtfleisch besitzt ein nussiges Aroma.
KALAMATA-OLIVEN: Die großen aus Griechenland stammenden Kalamata-Oliven besitzen ein intensives Aroma, das

sie für Griechischen Salat prädestiniert. Manchmal werden sie bereits halbiert und/oder entsteint angeboten, wodurch sie den Geschmack des Essigs oder Öls, in dem sie eingelegt sind, besser aufnehmen.

Olivenöl

Olivenöl ist je nach Geschmack, Aroma und Säuregehalt in unterschiedlichen Qualitäten erhältlich. Als »extra vergine« wird die beste Qualität bezeichnet; dieses Öl enthält maximal 1 Prozent Säure. Die nächste Qualitätsstufe, »Vergine«, besitzt höchstens 1½ Prozent Säure und ein etwas fruchtigeres Aroma. Steht auf der Flasche lediglich »Olivenöl«, befindet sich darin wahrscheinlich eine Mischung aus raffiniertem und unraffiniertem Olivenöl. Sehr helles Olivenöl ist die am wenigsten hochwertige Variante. Die Farbe von Olivenöl reicht von Dunkelgrün über Goldgelb bis hin zu wässrigem Gelb.

Pancetta

Geräucherter und luftgetrockneter magerer Bauchspeck vom Schwein, der dem Parmaschinken ähnelt, aber weniger salzig und zarter ist. Wird am Stück oder dünn geschnitten angeboten. Gibt vielen italienischen Gerichten ein würziges Aroma, kann aber auch roh gegessen werden. Kann durch einen anderen durchwachsenen Speck (Frühstücksspeck [Bacon], Rohessspeck) ersetzt werden.

Parmaschinken

Italienischer Rohschinken, der gesalzen und luftgetrocknet wird und so bis zu zwei Jahre haltbar ist. Hauchdünn geschnitten, wird er roh verzehrt oder in verschiedenen Gerichten verarbeitet.

Polenta

Maisgrieß, den man vor allem in der norditalienischen Küche findet. Polenta wird in Wasser zu einer breiartigen Konsistenz gekocht. Anschließend rührt man Butter oder geriebenen Käse darunter und serviert die Polenta zu Fleischgerichten. Oder aber man gibt den Polentabrei in eine Form, lässt ihn erkalten, schneidet ihn dann in Scheiben und brät oder grillt diese goldbraun.

Rahm oder Sahne

Die Bezeichnung der verschiedenen Sorten und ihre Verwendung richtet sich nach dem jeweiligen Fettgehalt.
SCHLAGRAHM/-SAHNE hat einen Fettgehalt von rund 30 Prozent (Schlagrahm/-sahne 28–36 Prozent, Halbrahm 25 Prozent, Vollrahm mindestens 35 Prozent). Diese Sorte wird zum Beispiel zur Zubereitung von Eis, Panna cotta und Dessertcremen verwendet oder zu locker-schaumigen Massen aufgeschlagen.
CRÈME DOUBLE (Doppelrahm) hat einen Fettgehalt von mindestens 45 Prozent und wird gerne als Beigabe zu Kuchen und Desserts gereicht.

Reisessig

Dieser aus fermentiertem Reis oder Reiswein hergestellte Essig ist milder und süßlicher als andere, aus destilliertem Alkohol oder Wein produzierte Essigsorten. In Asialäden und Feinkostgeschäften ist weißer (farblos bis hellgelb), schwarzer und roter Reisessig erhältlich.

Reismehl

Feines Mehl aus gemahlenem weißem Reis. Reismehl verwendet man in der asiatischen Küche zum Andicken, zum Backen und zum Panieren. Erhältlich in asiatischen Lebensmittelgeschäften.

Reiswein

Diese aus einer Mischung von Klebreis, Hirse, einer speziellen Hefe und Quellwasser hergestellte Spezialität aus der nordchinesischen Region Shao Hsing (daher auch unter dieser Bezeichnung angeboten) ähnelt im Geschmack trockenem Sherry. Erhältlich in Asialäden und Feinkostgeschäften.

Risoni

Kleine aus Hartweizen hergestellte Teigwarensorte von länglich-ovaler, an den Enden spitz zulaufender Getreide- oder Reiskornform, auch italienisch Risi oder griechisch Kritharaki genannt.

Shrimppaste

Auch als Garnelenpaste bekannt. Die streng riechende, intensive, rötliche bis dunkelbraune Paste wird aus gesalzenen, fermentierten Garnelen hergestellt und ist in Südostasien eine sehr bekannte und beliebte Würzzutat. Wird normalerweise separat in der Pfanne angebraten, bevor die anderen Zutaten dazukommen. Erhältlich in Asialäden oder im gut sortierten Feinkosthandel.

Steinpilze

Sind während der Pilzsaison frisch erhältlich, ansonsten rund ums Jahr getrocknet. Steinpilze haben eine fast fleischähnliche Konsistenz und einen aromatisch-erdigen Geschmack. Getrocknete Steinpilze werden vor der Verarbeitung eingeweicht; das Wasser kann man für einen intensiveren Pilzgeschmack, allenfalls durchgesiebt, auch in den Gerichten weiterverarbeiten. Steinpilze werden teilweise auch tiefgefroren angeboten.

Sternanis

Stark nach Anis riechender, sternförmiger Samenstand von Bäumen aus der Familie der Magnoliengewächse. Stammt ursprünglich aus Südchina und Vietnam und hat in der fernöstlichen Küche Tradition. Wird als Ganzes oder zu Pulver gemahlen verwendet. Erhältlich in gut sortierten Supermärkten, Asialäden oder im Feinkosthandel.

Süßkartoffel

Längliche Wurzelknolle, die es je nach Sorte mit weißem oder orangefarbenem Fleisch gibt. Die orangefleischige Süßkartoffel, auch als Kumara bekannt, ist süßer und saftiger als die weiße Variante. Beide Sorten kann man schmoren, in Wasser garen oder zu Püree verarbeiten.

Szechuanpfeffer

Die getrockneten Pfefferkörner mit pikantem Aroma werden im Ganzen angeboten. Vor dem Mahlen oder Zerstoßen röstet man sie in einer heißen, trockenen Pfanne an, bis sie duften. Szechuanpfeffer gibt asiatischen Gerichten pikante Würze.

Tahini

Dicke, geschmeidige, ölige Paste aus gerösteten, gemahlenen Sesamkörnern, die in der Küche des Nahen Ostens sehr verbreitet ist. Erhältlich im Reformhaus, in Spezialitätengeschäften und in gut sortierten Supermärkten.

Tapenade

Paste aus pürierten Oliven, Kapern, Knoblauch, Sardellen und Öl. Als Dip oder als Aufstrich für Bruschetta oder Pizza verwendbar. Auch gut als Marinade oder zu kaltem Fleisch.

Teig

Teige können Sie selbst – auch auf Vorrat zum Tiefkühlen – herstellen oder als Alternative für die schnelle Küche auf fertige Teige zurückgreifen (tiefgefroren oder aus der Kühltheke).

BLÄTTERTEIG: Die Herstellung von Blätterteig ist zeitaufwendig und nicht ganz einfach, weshalb viele deshalb fertig gekauften Blätterteig bevorzugen, den man in Supermärkten bekommt, aber auch beim Bäcker kaufen kann. Um die gewünschte Dicke zu erhalten, muss man unter Umständen mehrere Lagen aufeinanderschichten.

MÜRBTEIG:

300 g Mehl
180 g Butter
2–3 EL Eiswasser

Mehl und Butter in der Küchenmaschine zu einem krümeligen Teig verarbeiten. Bei laufendem Motor das Eiswasser dazugeben, bis eine glatte Masse entstanden ist. Von Hand durchkneten, dann in Frischhaltefolie verpackt 30 Minuten im Kühlschrank ruhen lassen. Anschließend auf dünn bemehlter Unterlage 3 mm dick ausrollen. Diese Rezeptmenge reicht zum Auslegen einer Form von 26 cm Durchmesser.

Thai-Currypaste

Rote und grüne Currypaste erhalten Sie frisch im Asialaden, ansonsten auch in Supermärkten und gut sortierten Feinkostgeschäften. Wenn Sie eine neue Marke ausprobieren, testen Sie vor dem Würzen den Schärfegrad.

Für selbst hergestellte rote Thai-Currypaste:

3 kleine rote Chilis
3 Knoblauchzehen, geschält
1 Stängel Zitronengras*, gehackt
4 Frühlingszwiebeln, gehackt
1 TL Shrimppaste*
2 TL brauner Zucker
3 Kaffirlimettenblätter*, gehackt
1 TL abgeriebene Zitronenschale
1 TL geraspelter Ingwer
½ TL Tamarindenkonzentrat
2–3 TL Erdnussöl

Alle Zutaten außer dem Öl im Mixer oder mit dem Pürierstab zerkleinern. Beim Pürieren nach und nach das Öl dazugeben und alles zu einer geschmeidigen Paste verarbeiten. Hält sich im Kühlschrank luftdicht verschlossen bis zu 2 Wochen. Ergibt 125 ml.

Tofu

Bedeutet wörtlich »Bohnenquark«. Tofu stammt ursprünglich aus Asien und ist ein sehr proteinhaltiges Nahrungsmittel. Er wird aus Sojamilch hergestellt; der dabei entstehende Quark wird zu Blöcken gepresst. Je nachdem, wie viel Flüssigkeit der Tofu noch enthält, unterscheidet man verschiedene Varianten. Seidentofu ist der weichste, geschmeidigste Tofu, er besitzt eine quarkähnliche Konsistenz. Weichtofu ist etwas fester (etwa so wie rohes Fleisch), während fester oder getrockneter Tofu die Beschaffenheit von einem mittelfestem Käse wie Haloumi oder Paneer hat und sich gut schneiden lässt. Tofu ist meist in Wasser eingelegt in der Kühltheke von Supermärkten, Feinkostgeschäften oder Asialäden oder auch tiefgekühlt erhältlich.

Tomaten, passierte

Fruchtiges, dickflüssiges rohes Tomatenpüree, das durch Passieren hergestellt wird, das heißt, indem man die Tomaten durch ein Sieb streicht und so das Fruchtfleisch von Haut und Kernen trennt. Sugo hingegen wird aus zerquetschten ganzen Tomaten hergestellt und hat deshalb eine körnigere Textur. Beide Varianten sind in Supermärkten erhältlich und in der italienischen Küche unverzichtbar.

Tomaten, Ochsenherz

Große, fleischige und besonders aromatische Tomatensorte, die sich durch ihre zum Stielansatz hin dickwulstige Form auszeichnet.

Tsatsiki

Griechischer Dip, der aus Naturjoghurt, Knoblauch und fein geraffelter Gurke, manchmal gewürzt mit Dill, zubereitet wird. Tsatsiki passt auch zu gegrilltem Fleisch oder zu Meeresfrüchten sowie zu pikantem Gebäck. In türkischen und griechischen Spezialitätengeschäften und teilweise in gut sortierten Supermärkten erhältlich.

Vanilleextrakt

Kaufen Sie hochwertigen Vanilleextrakt, weder Vanilleessenz noch Aromaimitat. Ersatzweise verwenden Sie für 1 TL Extrakt das ausgekratzte Mark von einer Vanilleschote.

Vanilleschote

Die getrockneten Schoten (Hülsen) der Vanilleorchidee werden im Ganzen verwendet. Normalerweise schneidet man die Schoten längs auf, kratzt die winzigen Samenkörner (das Mark) heraus und gibt sie in das Gericht; so erhalten Cremes und andere Süßspeisen mehr Aroma. Erhältlich in gut sortierten Supermärkten und Feinkostgeschäften. Ersatzweise verwenden Sie für das Mark von 1 Vanilleschote 1 TL reinen Vanilleextrakt (eine dunkelbraune, dickliche, klebrige Flüssigkeit, keine Vanilleessenz, siehe oben).

Wasabi

Traditionell japanische scharfe Gewürzpaste, die aus Meerrettich gewonnen und bei der Zubereitung von Sushi verwendet wird. Erhältlich in Asialäden.

Weiße Bohnen (Cannellini-Bohnen)

Die kleinen, weißen, nierenförmigen Hülsenfrüchte sind in Feinkostgeschäften und Supermärkten erhältlich. Getrocknete Weiße Bohnen weicht man vor der Weiterverarbeitung über Nacht ein; Weiße Bohnen aus der Dose kann man direkt weiterverarbeiten.

Wantan-Blätter

Diese ursprünglich aus China stammenden, hauchdünnen, quadratischen Teigblätter sind in asiatischen Lebensmittelgeschäften frisch oder tiefgekühlt erhältlich. Sie können über Dampf gegart oder frittiert werden. Mit Fleisch oder Gemüse gefüllt, werden sie in Suppen oder als Häppchen serviert; frittiert und mit Zucker bestreut sind sie ein köstliches Dessert.

Zitronengras

Lange, harte Stängel mit Zitronenaroma, die in der asiatischen, vor allem in der thailändischen Küche verwendet werden. Die harten äußeren Hüllblätter werden entfernt und das weiche Innere fein gehackt. In manchen Gerichten kocht man auch den ganzen Stängel mit und entfernt ihn vor dem Servieren. Erhältlich in Asialäden und teilweise auch bei gut sortierten Gemüsehändlern.

Zitronenschale, eingelegte

Zitronenschalen lassen sich als Würzzutat haltbar machen, indem man die Zitronen mit Salz einreibt, in Gläser füllt und mit Zitronensaft bedeckt 4 Wochen ziehen lässt. Dann wird das Zitronenfleisch entfernt und die Schale, gehackt, zum Kochen verwendet. Fertig erhältlich in Feinkostgeschäften.

Zucker

Wird aus dem Saft des Zuckerrohrs oder der Zuckerrübe gewonnen. Zucker ist Süßmittel, Geschmacksverstärker, Verdickungs- und Konservierungsmittel, macht Eis und Cremes geschmeidig und hält Kuchen saftig.

BRAUNER ZUCKER ist mit Melasse versetzt. Je nach Melasseanteil variiert der braune Farbton und auch der Geschmack des Zuckers. In den Rezepten dieses Buches verwenden wir hellen braunen Zucker. Wenn Sie den Speisen ein intensiveres Aroma geben wollen, können Sie ihn durch dunkleren braunen Zucker ersetzen.

FEINER WEISSER ZUCKER: Auch unter der Bezeichnung »extrafein« oder »Backzucker« im Handel. Er gibt Gebäck eine leichte Konsistenz, was für die meisten Torten und feine Desserts wie Meringues wichtig ist.

PUDERZUCKER: ist normaler weißer Zucker, der zu Staubzucker gemahlen wurde. Puderzucker klumpt schnell und wird vor der Verarbeitung am besten durch ein feines Sieb gestrichen.

RAFFINADEZUCKER: Handelsüblicher Raffinadezucker wird verwendet, wenn der Zucker nicht besonders fein sein muss. Normaler Raffinadezucker ist relativ grobkörnig, er löst sich jedoch unter Rühren in Flüssigkeiten und bei Hitze auf.

GUT ZU WISSEN

In meinen Rezepten bemühe ich mich stets um einfache, klare und problemlos nachvollziehbare Angaben. Ein paar wenige Dinge, wie die verwendeten Maßeinheiten und häufiger vorkommende Grundbegriffe des Kochens, seien zur Klärung hier nochmals festgehalten. Damit die Rezepte für Sie auch wirklich unkompliziert sind und sicher gelingen.

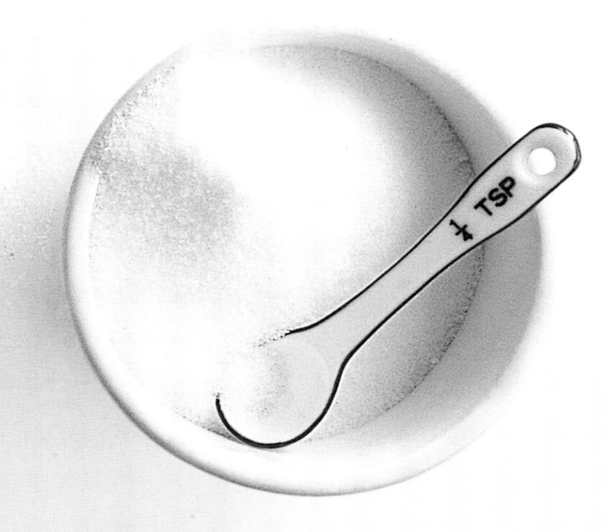

Maßeinheiten

Zum Abmessen flüssiger und fester Zutaten sind Messbecher, Messlöffel und eine Waage unverzichtbare Küchenhelfer. Einige Köche und Köchinnen verwenden als Maßeinheit auch gerne eine Tasse, was mit etwas Erfahrung und Routine auch problemlos machbar ist; in den Rezepten dieses Buches sind jedoch immer genaue Gewichts- und Flüssigkeitsmengen angegeben.

Die Tassen- und Löffelmaße können von Land zu Land und von Koch zu Köchin leicht abweichen; die Unterschiede sind in der Regel jedoch nicht so erheblich, dass sie sich auf das Gelingen eines Rezepts auswirken würden.

Beim Abmessen trockener Zutaten füllen Sie den Messbehälter lose randvoll und streichen die Oberfläche mit einem Messer glatt. Vermeiden Sie es, die Zutat in den Messbehälter zu pressen, und klopfen Sie den Messbecher auch nicht auf der Arbeitsfläche auf; dadurch würde sich das Wiegegut unerwünschterweise verdichten und die abgemessene Menge zu groß ausfallen.

In meinen Rezepten gelten die folgenden Tassen- und Löffelmaße; sie beziehen sich jeweils auf eine gestrichene Menge:

1 Tasse entspricht 250 ml
1 Teelöffel (TL) entspricht 5 ml
1 Esslöffel (EL) entspricht 20 ml
(also 4 Teelöffel)

Einige Maßumrechnungen häufiger Zutaten von Tasse in Gramm:

Gemahlene Mandeln
1 Tasse = 120 g

Zucker (brauner oder weißer Raffinade- oder Backzucker)
1 Tasse = 220 g

Puderzucker
1 Tasse = 150 g

Weizenmehl
1 Tasse = 150 g

Semmelbrösel
1 Tasse = 70 g

Geriebener Parmesan
1 Tasse = 80 g

Ungekochter Reis
1 Tasse = 200 g

Gekochter Reis
1 Tasse = 165 g

Ungekochter Couscous
1 Tasse = 200 g

Gekochtes, klein gerupftes Fleisch
1 Tasse = 160 g

Oliven
1 Tasse = 150 g

Backformen

Als Backformen eignen sich einfache Aluminiumformen oder besser Edelstahlformen, die eine längere Lebensdauer besitzen, nicht verbeulen und sich nicht verziehen. Die Größe der Form wird an der Oberkante der Öffnung gemessen, nicht am Boden. Bei Formen mit Rand ist jeweils das Innenmaß ausschlaggebend.

MUFFINFORMEN: Ein Muffinblech besitzt normalerweise 12 bzw. 6 Vertiefungen, die jeweils 125 ml Inhalt fassen. Sie eignen sich für Muffins und verschiedenste Törtchen. Beschichtete Formen erleichtern das Herausnehmen des fertigen Gebäcks. Man kann auch Papierbackförmchen in die Vertiefungen stellen.

RUNDE FORMEN: Die Standarddurchmesser runder Backformen sind 18, 20, 22, 24 und 26 cm. Eine 20er- und eine 24er-Form gehören in jede Küche.

SPRINGFORMEN: Die Standarddurchmesser von Springformen sind 18, 20, 22, 24 und 26 cm. Eine 20er- und eine 24er-Form gehören in jede Küche.

QUADRATISCHE FORMEN sind standardmäßig mit Kantenlängen von 18, 20, 22 und 24 cm erhältlich. Wenn das Rezept eine runde Form vorgibt, Sie aber eine quadratische Form verwenden möchten, ziehen Sie einfach 2 cm vom Durchmesser der runden Form ab, um die richtige Größe der quadratischen Form zu berechnen. Gibt das Rezept eine runde Form von 22 cm Durchmesser vor, können Sie stattdessen eine quadratische Form mit 20 cm Kantenlänge benutzen.

Küchenpraxis

Nachfolgend ein paar wenige Grundbegriffe der Küchenpraxis, die in den Rezepten immer wieder vorkommen.

BLANCHIEREN

Gartechnik, die dazu dient, Lebensmittel weicher zu machen, ihr Aroma zu verstärken und/oder ihre Farbe zu erhalten. Dazu wird beispielsweise Gemüse kurz (je nach Sorte einige Sekunden bis wenige Minuten) in kochendes, ungesalzenes Wasser gegeben, dann abgegossen und sofort unter eiskaltem Wasser abgeschreckt. Vor der Weiterverarbeitung zu Salaten oder Beilagen gut abtropfen lassen.

CHILISCHOTEN ENTKERNEN

Um die Schärfe zu mildern, werden die Samen, die am meisten Schärfe enthalten, vor der Verwendung entfernt. Dazu die gewaschenen, vom Stiel befreiten Schoten längs aufschlitzen und die Samen sowie die hellen Scheidewände mit einem spitzen Messer oder einem Kugelausstecher entfernen. Getrocknete Chilischoten dazu zuvor kurz in warmem Wasser einweichen.

STÄBCHENPROBE

Methode, um festzustellen, ob Teig durchgebacken bzw. eine Speise durchgegart ist. Nach der angegebenen Backzeit mit einem Holz- oder Metallstäbchen in den Teig stechen. Wenn der Teig in kleinen Krümeln am Stäbchen hängen bleibt, ist er fertig gebacken. Ist der Teig noch flüssig, kurz weiterbacken und erneut prüfen.

TROCKEN RÖSTEN

Ganze Gewürze, Kerne (Pinien-, Sonnenblumenkerne) und Ähnliches kann man vor der Verwendung trocken rösten, um Geschmack und Aroma zu verstärken. Dazu eine Pfanne ohne Fettzugabe bei mittlerer Temperatur leer erhitzen. Die zu röstenden Zutaten hineingeben und unter ständigem Bewegen rösten, bis sie leicht Farbe annehmen und fein duften. Dann herausnehmen und abkühlen lassen und nach Rezept weiterverwenden.

WASSERBAD

Zum sanften Aufschlagen von Zutaten oder zum Schmelzen von Schokolade. Man setzt eine hitzebeständige Schüssel über einen Topf mit kochendem Wasser, gibt die Zutaten (z.B. Eigelbe und Zucker) hinein und schlägt sie so zu einer dicken, cremigen Masse.

ZESTEN ABZIEHEN

Mit einem Zestenmesser oder -reißer lassen sich ganz feine Streifchen der äußeren aromatischen Schale von Zitrusfrüchten abziehen. Dafür nur unbehandelte Früchte verwenden, diese gründlich unter heißem Wasser waschen und gut trocken reiben. Dann die Schale mit dem Zestenreißer abziehen; dabei nur wenig Druck anwenden, um die darunter liegende bitter schmeckende Schalenschicht nicht mit abzulösen.

REZEPT VERZEICHNIS

Sie wissen genau, dass es in diesem Buch war, können das Rezept aber nicht mehr finden? Keine Sorge, das folgende Rezeptverzeichnis hilft Ihnen sicher, das Gesuchte zu finden. Denn hier sind nicht nur sämtliche Rezepte aufgelistet, sondern diese auch unter den jeweiligen Hauptzutaten aufgeführt, zum Teil auch unter mehreren davon.

Die erfolgreichen Kochbücher von Donna Hay im AT Verlag

Donna Hay
Schnell, frisch, einfach.
160 schnelle Rezepte, frische Aromen und einfache Gerichte für jeden Tag

Ein Kochbuch, das den Bedürfnissen der heutigen Zeit entspricht: schnell kochen, stilvoll genießen.

Donna Hay
Jahreszeiten
200 Rezepte – schnell und unkompliziert

Eine Liebeserklärung an die Jahreszeiten mit allem, was diese zu bieten haben.

Donna Hay
Modern classics
Modern classics süß

Zwei Bücher, die das Zeug dazu haben, Grundlagen-Kochbücher einer neuen Generation zu werden.

Donna Hay
Meine spontane Küche
200 schnelle Rezepte mit dem Vorrat

Ein gut durchdachter Grundstock in Kühlschrank und Vorrat ist halb gekocht. 200 schnelle, inspirierende und einfache Rezepte.

Donna Hay
Schnelle Küche mit Stil

177 unkomplizierte Rezepte und Rezeptvariationen – für Alltag und Gäste.

Donna Hay
Schnelle Küche für Gäste

Einfache Menüs
für unkomplizierte Einladungen.

Donna Hays kleine Kochbuch-Reihe – dank der edlen Ausstattung auch ein ideales Geschenk oder Mitbringsel.

Salate und Gemüse
Einfach und schnell

Früchte
Einfach und schnell

Huhn
Einfach und schnell

Schokolade
Einfach und schnell

Pasta, Reis und Nudeln
Einfach und schnell

Rind, Lamm und Schwein
Einfach und schnell

»Donna Hay ist die berühmteste Köchin Australiens. Ihr Erfolgsrezept: wenige Zutaten, wenig Aufwand, maximal lecker.«
Gala

»Die Australierin versteht es wie kaum eine andere, neue Ideen unkompliziert zu erklären und wunderschön in Szene zu setzen.
Freundin

»Kochbücher, die man wirklich brauchen kann. Keine abgedrehten Rezepte, für die man tausend Spezialitätengeschäfte abklappern muss, sondern eine Küche für jedermann und jede Frau. Also: Kaufen, aufschlagen, kochen, genießen. Lecker.«
Schweizer Fernsehen

AT Verlag
AZ Fachverlage AG
Bahnhofstraße 41
CH – 5000 Aarau
Telefon +41 (0)58 200 44 00
Fax +41 (0)58 200 44 01
info@at-verlag.ch
www.at-verlag.ch

DANKE

Die Entstehung eines Buches ist ein aufreibender Prozess, der nur unter Mitarbeit begabter und engagierter Menschen funktioniert. Con Poulos, beruflich ein »Seelenverwandter«, bringt ruhig, freundlich und überaus großzügig Ideen, Kreativität und Geduld ein. Danke für Deinen großen Beitrag zu diesem Buch. Clare Stephens als Art Director war für mich wie Ostern und Weihnachten an einem Tag. Ihr tolles Layout und die Gestaltung machen jede Seite zu einem Highlight. Klug und geistreich hat schließlich die Lektorin Kirsty McKenzie alle Fäden zusammengehalten – danke! Mein Dank geht auch an Ali Irvine für ihre engagierte Arbeit und ihre Fröhlichkeit. Dankbar bin ich der renommierten Buchgestalterin Sarah Kavanagh für ihr wachsames Auge. Ein großer Dank geht an das Team des Donna Hay Magazine, Justine, Steve, Jane und Lucy, sowie an Petrina Frost, treue Streiterin für die Marke Donna Hay, sowie an Shona Martyn von HarperCollins. Last, but not least ein dickes Dankeschön an meinen großen und die kleinen Jungs Bill, Angus und Tom, die die Welt für mich zu einem glücklicheren Ort machen.

Dank auch an: Royal Doulton – Gordon Ramsay bei Royal Doulton; Jasper Conran und Kelly Hoppen für Wedgwood; Dibbern Pure von Beclau und Chefs' Warehouse.